Sonho
Estrelado

José Ubaldo Baiano

Sonho Estrelado

A história de como um menino pobre tornou-se o maior vendedor do Brasil, encontrou o sentido da vida no Caminho de Santiago de Compostela, realizou seus sonhos e ajudou seus amigos a crescer.

Copyright © 2014 by José Ubaldo do Nascimento

Grafia atualizada segundo o Acordo Ortográfico da Língua Portuguesa de 1990, que entrou em vigor no Brasil em 2009

EDITOR E PUBLISHER
Luiz Fernando Emediato

DIRETORA EDITORIAL
Fernanda Emediato

PRODUTORA EDITORIAL E GRÁFICA
Priscila Hernandez

ASSISTENTE EDITORIAL
Adriana Carvalho

PROJETO GRÁFICO E DIAGRAMAÇÃO
Megaarte Design

CAPA
Alan Maia

PREPARAÇÃO DE TEXTO
Marcia Benjamim

REVISÃO
Josias A. de Andrade
Daniela Nogueira

DADOS INTERNACIONAIS DE CATALOGAÇÃO NA PUBLICAÇÃO (CIP)
(Câmara Brasileira do Livro, SP, Brasil)

Baiano, José Ubaldo
  Sonho estrelado : a história de como um menino pobre tornou-se o maior vendedor do Brasil, encontrou o sentido da vida no caminho de Santiago, realizou seus sonhos e ajudou seus amigos a crescer / José Ubaldo Baiano. – São Paulo : Jardim dos Livros, 2014.

ISBN 978-85-63420-97-8

1. Baiano, José Ubaldo 2. Memórias autobiográficas I. Título.

14-10321   CDD-920.71

Índices para catálogo sistemático:
1. Homens : Memórias autobiográficas   920.71

EMEDIATO EDITORES LTDA.
Rua Gomes Freire, 225 – Lapa
CEP: 05075-010 – São Paulo – SP
Telefax: (+ 55 11) 3256-4444
E-mail: jardimdoslivros@geracaoeditorial.com.br
www.geracaoeditorial.com.br

Sumário

APRESENTAÇÃO de Joesley Batista 7
1. De que vale o céu azul e o Sol sempre a brilhar . . . 11
2. A magia do Caminho 15
3. Na terra do cacau 25
4. *Buen camino* 33
5. Muitos começos 43
6. De volta ao Caminho 51
7. Aprendo a ser vendedor 57
8. O caminho francês 81
9. Os meninos da Friboi 93
10. Vida espiritual 115
11. Quando eu estou aqui, eu vivo esse
    momento lindo .127

Apresentação

O Baiano é um sujeito que tem o dom de colocar a gente para cima sempre. O que eu mais admiro nele é que ele fala a verdade.

Quando eu cheguei ao Recife para pedir que nos representasse, ele perguntou se eu gostava de ouvir a verdade ou o que me agradava.

Eu preferi a verdade.

Ele me disse: "Não gosto de goiano, tudo caloteiro, bicho safado, não gosto de trabalhar com goiano".

"Mas por que, Baiano?"

"Goiano não paga, é a maior miséria."

Rapaz, eu tinha acabado de entrar na sala dele, ele não me conhecia! Mas falou assim mesmo. Eu garanti que nós pagávamos, nunca atrasávamos nossos compromissos, fazíamos tudo certinho.

Ele olhou para mim e resolveu nos dar uma chance. Nós éramos uma empresa pequena, Tuca um representante autônomo, e a lição que fica é que trabalhando com dedicação tudo é possível.

Somos pessoas humildes, não temos vergonha de perguntar o que não sabemos, pedimos ajuda quando precisamos. A empresa pode crescer quanto quiser, mas essa fórmula não muda. Levantar cedo, trabalhar, cuidar de todos os detalhes que são importantes e nos juntarmos a pessoas que fazem a mesma coisa.

Nós temos tido a oportunidade de crescer, de nos internacionalizar. Somos uma família que começou lá com meu pai, seis filhos – três homens, três mulheres – e hoje a JBS é a maior empresa privada do Brasil, a maior empresa de proteína do mundo em volume, vendas, mercado, lucro e número de funcionários. Somos maiores que a Tyson, que por muitos anos liderou esse mercado. No entanto, o que a gente comemora não são os números, mas a forma como conseguimos chegar lá.

Somos uma empresa que foi construída com companheirismo, amizade, de forma fraterna. Passamos por várias crises, sofremos e disputamos, mas sempre de forma amigável. Tuca é um guerreiro e faz parte disso. Hoje é o principal representante do nosso grupo e vende tudo, todos os nossos produtos.

O Baiano nos ensina dia a dia com sua originalidade, sua franqueza, é uma pessoa superespecial. Eu sou bem mais jovem, mas temos tido oportunidade de estar juntos ao longo desses anos e aprendo muito com ele. Somos muito agradecidos pela aposta que ele fez em nós, pelo trabalho duro e pelo carinho todo.

Um sujeito tem que ser muito macho para dizer que gosta de outro macho, e eu digo aqui que o Baiano é um macho de que eu gosto.

Muita gente pergunta se nós imaginávamos fazer o que fizemos, construir o que construímos. Não, nunca. Agora, levantando cedo e trabalhando, juntando-se a pessoas que têm a mesma dedicação, dá para fazer.

O sonho é grande, mas não tem nada impossível.

Joesley Batista
Presidente da holding J&F,
que controla o Grupo JBS

*Eu caminho vivo no meu
sonho estrelado*

Victor Hugo

1
De que vale o céu azul e o Sol sempre a brilhar

Porto de Galinhas, litoral de Pernambuco
4 de março de 2004

– Rapaz, é muito bom quando a gente realiza um sonho! Vejam só, quando eu saí da Bahia, meu sonho era juntar um milhão de dólares. Era tão distante isso! Eu não tinha nada! Fico pensando agora qual será o meu sonho.

Comentei isso enquanto caminhava pela praia de Porto de Galinhas com meus amigos goianos, numa bela manhã. Estávamos em férias, eu já tinha andado por oito quilômetros mais cedo e agora encontrava Wesley, Joesley e Fernandinho para passear mais um pouco. Logo, logo iríamos parar para uma *caipiroska* e fazer um churrasco na praia. Eles vinham a Pernambuco, mas não dispensavam o churrasco.

– Ah, o meu sonho é *nóis abater* cem mil bois por mês. Fazer da Friboi o maior frigorífico do mundo! – disse Wesley com aquele seu sotaque de Goiânia.

Joesley, irmão mais novo dele, queria uma nova fábrica para o sabão Minuano produzir um milhão de caixas por mês. Fernandinho, primo dos garotos Batista, sonhava com um grande atacado em Cuiabá, no Mato Grosso.

Era um feriado e o clima de descontração, mas os rapazes só pensavam em negócios, a cabeça deles ficava ligada o tempo inteiro.

Numa das vindas anteriores, também num feriado prolongado, os meninos tinham fechado uma negociação importante no meio de nossos passeios. Eles tinham uma *joint venture* chamada B&F com a Bertin, e estavam interessados em adquirir a parte do outro frigorífico. Estávamos a bordo de uma lancha de vinte e três pés em alto-mar quando o telefone tocou. Wesley negociou e fechou a compra da parte da Bertin ali mesmo, no meio do mar, depois foi uma festa a bordo. Eles sempre foram muito focados, a vida deles é o trabalho.

Eu, no entanto, estava num momento de inspiração.

– Olha, rapaz, com essa conversa está me vindo uma ideia...

– Que ideia, Baiano?

– Fazer o Caminho de Santiago, lá na Espanha.

Foi do nada, assim, que brotou a ideia.

– Isso não é aquele negócio de um bocado de gente caminhando vários dias pra chegar numa igreja? – Wesley perguntou com espanto.

– Não sei bem como é esse negócio não, mas eu vou! – eu decidi com toda certeza.

– Então eu vou com você – ele se entusiasmou.

Fernandinho riu, mas ele e Joesley também aderiram à ideia maluca. Combinamos de fazer a viagem em outubro.

Batia um vento constante, refrescando o calor do sol fortíssimo. Todos nós gostávamos muito daquela praia, era ali perto, na praia de Toquinho, que eu tinha minha segunda casa. Apesar de baiano, morava no Recife já fazia muitos anos e era lá que eu tinha realizado vários sonhos: tornar-me empresário antes dos quarenta anos, juntar o tal milhão de dólares...

SONHO ESTRELADO

Os meninos da Friboi vinham me visitar sempre que podiam. Nossas famílias estavam agora em Muro Alto, um *resort* na praia do lado, também naquela areia grossa à beira do mar transparente. Andando ali com eles, eu tive a certeza de que o Caminho de Santiago ia ser mais um sonho que eu iria realizar.

Joesley e Wesley eram, além de amigos com quem era bom jogar conversa fora, parceiros que estavam prestes a mudar o Brasil. Ninguém imaginaria de olhar para eles, sujeitos simples, de fala mansa, que iriam fazer tudo o que sonhavam e muito, muito mais.

Só que não iriam comigo pelo Caminho de Santiago. Esse foi um sonho só meu.

Eu sou movido a sonhos, acredito que temos um a cada momento da vida. E acredito que posso tudo, basta eu querer.

Apesar de ter percorrido todos os caminhos, cruzado montanhas e vales desde o Oriente até o Ocidente, se eu não encontrei a liberdade de ser eu mesmo, não cheguei a lugar algum.

Oração de O Cebreiro

2
A magia do Caminho

Laguna de Castilla, província de León, Espanha
12 de outubro de 2004

O vento extremamente frio deixava aquela subida muito difícil. Se a altitude já era um problema, um trecho com lama e pedregulho transformava cada passo num desafio ainda maior. Já passava do meio-dia e o cansaço tomava conta de todo o meu corpo. Naquele momento, exausto, parei para um descanso.

Em uma mureta de pedra bem larga joguei tudo o que trazia: uma mochila, um saco de dormir, uma espécie de capa de chuva, um casaco e meu cajado... Era o que todo peregrino de Santiago de Compostela levava durante o trajeto. Olhei em volta, dava para ver longe algumas aldeiazinhas pelo meio das montanhas.

Era tão isolado! Já era possível avistar um pouco mais acima o Cebreiro, um dos pontos mais difíceis de chegar naquela rota, uma das mais tradicionais da peregrinação.

O céu estava carregado e uma insistente garoa fina, que caía havia algum tempo, tornava o dia cinzento e sombrio. A paisagem, ainda assim, era de tamanha beleza que ajudava a superar o cansaço quase incontrolável e esquecer por alguns minutos as mãos congeladas.

Decidi aproveitar a pausa para iniciar o registro em vídeo daquela jornada. O que pretendia fazer era simples: gravar umas tomadas da vista geral, em torno e abaixo do ponto onde estava, e falar das minhas impressões em um momento em que me questionava até mesmo se seria possível, ou não, chegar ao fim do caminho.

Eu tinha me preparado nos meses anteriores, desde que decidira vir, lá em Porto de Galinhas, tinha andado todos os dias no Recife. Estava em forma, mas aquela subida no frio era pior que tudo que eu tinha imaginado.

A primeira tentativa de gravar uma imagem focando o horizonte mostrou minha real condição física. Não estava com forças sequer para segurar a pequena câmera durante alguns segundos com o mínimo de estabilidade. O equipamento, leve, frágil, parecia pesar toneladas. Com a voz muito cansada tentava descrever o cenário que avistava. Frustrado, entendi que fracassaria como cinegrafista, ao menos naquele momento. A solução foi apoiar a câmera em uma pedra e me postar imóvel diante da lente. Só então consegui articular algumas falas.

Tentei descrever toda a beleza que a natureza me apresentava e quanto tinha sido difícil chegar àquele ponto. A emoção tomou conta de mim. Lembrei que nos três primeiros dias de peregrinação mantive o pensamento focado em minha esposa e filha, em meus queridos amigos, pessoas de muita importância na minha vida e em alguns outros que já se foram.

Chorei muito ao recordar que, na solidão da minha caminhada, sempre aos primeiros raios de sol, sentia a presença do meu pai comigo na estrada; por extensos trechos, ele ia ao meu lado, exatamente como quando caminhávamos de Uruçuca até o sítio onde ele plantava cacau. Eu me sentia novamente o Tuca menino no interior da Bahia, indo atrás daquele homem que me ensinou tanto sem falar muito.

Ainda durante a filmagem, senti quanto seria difícil explicar o que me levara a fazer o Caminho de Santiago.

Desde aquela conversa na praia, quando decidi que faria o caminho, até a minha chegada à Espanha, tinham se passado oito meses.

Naqueles dias de março, assim que voltei ao Recife, após embarcar os amigos que retornaram da curta temporada de férias, fui procurar na internet algumas informações que pudessem me ajudar a conhecer um pouco a história e a lógica dos que já fizeram a peregrinação.

Foi um rápido telefonema de um daqueles amigos que me fez tomar a decisão de uma vez por todas. "Baiano, não vou poder ir." Depois de escutar esta frase, não tive dúvidas:

– Sílvia, liga para a agência de viagens e vê para mim a reserva de passagem para Madri, na Espanha. Devo sair daqui do Recife por volta do dia 10 de outubro. Vou só. Aquele Wesley só tem conversa...

Foi o que pedi à minha secretária sem pensar mais. Ao ler os relatos dos peregrinos que ajudavam as pessoas como eu, que quase nada sabiam sobre o caminho, compreendi que só vão a Santiago aqueles que, de alguma maneira, são tocados por um chamado divino. Não sei como explicar, mas assim que tive essa certeza, providenciei a compra do bilhete.

A partir daí, imaginando o que me esperava, comecei aquilo que eu pensava ser um bom preparo para superar os 220 quilômetros que separam Ponferrada, um dos pontos de início do caminho jacobino, de Santiago de Compostela.

Tudo o que eu podia resolver caminhando pelas ruas e avenidas do Recife, servia como pretexto para que eu me aprimorasse, sem contar as caminhadas que programava nos fins de semana. Durante quase dois meses, percorri em média dez quilômetros diariamente. Sabia que encontraria bem mais dificuldades em terrenos não tão planos e lisos quanto o asfalto da cidade, mas não consegui imaginar nada parecido com as subidas infindáveis em lama e terra escorregadia até o Cebreiro.

Após gravar uma mensagem de despedida para minha família, deixei o Recife no dia 10 de outubro de 2004. Não houve novidades no primeiro e já conhecidíssimo trecho entre Recife e São Paulo, voo que eu pegava quase toda semana. Cheguei a esquecer para onde estava indo, parecendo viajar para um compromisso profissional de rotina. No aeroporto de São Paulo, tomado pela ansiedade, procurei circular um pouco, aguardando as próximas duas horas até o embarque internacional. Para matar o tempo, entrei em uma livraria e vi o livro *Diário de um mago*, do escritor Paulo Coelho, que ficou famoso ao contar sua peregrinação. Até aquele momento nunca tinha lido nada dele, mas resolvi comprar a obra.

"Pode ser a companhia ideal para preencher o tempo da viagem no avião", foi o que pensei ao colocar meu exemplar na mochila e me dirigir ao salão para aguardar o voo no qual cruzaria o Atlântico com destino a Madri.

No avião, depois de um bem-vindo jantar, relaxei e peguei o livro. Logo no início, uma abertura com uma dedicatória em destaque do autor:

Quando começamos a peregrinação, eu achei que tinha realizado um dos maiores sonhos da minha juventude. Tu eras para mim o bruxo D. Juan, e eu revivia a saga de Castañeda em busca do extraordinário.

Mas tu resististe bravamente a todas as minhas tentativas de transformar-te em herói. Isto tornou muito difícil o nosso relacionamento, até que entendi que o Extraordinário reside no Caminho das Pessoas Comuns. Hoje em dia, esta compreensão é o que possuo de mais precioso na minha vida, permite-me fazer qualquer coisa e irá acompanhar-me para sempre.
"Por esta compreensão – que agora procuro dividir com outros – este livro vai ser dedicado a ti, Petrus (Paulo Coelho, *Diário de um mago*).

Fiquei curioso. O que teria feito esse tal de Petrus para receber a dedicatória única do livro mais vendido no mundo nos últimos anos? Por que aquele livro – que eu apenas iniciara – tinha feito a cabeça de tanta gente nos quatro cantos do mundo?

Nesse momento, o cansaço me abateu e dormi profundamente durante toda a noite, acordando ao escutar as mensagens do comandante indicando que, em breve, pousaríamos no aeroporto de Barajas, em Madri, às nove e meia da manhã.

O desembarque foi rápido. Segui imediatamente para Santiago de Compostela, onde desembarquei pouco mais de uma hora e meia depois. Abri mão de qualquer passeio turístico pela mística cidade espanhola e, sem perder tempo, negociei com um táxi a ida até a cidade de Ponferrada. Paguei os 180 euros e lá fui eu para meu ponto de partida. Eram quase três da tarde quando o táxi me deixou diante de um hotel simples, mas com boa infraestrutura. Desci para procurar um lugar onde finalmente pudesse almoçar.

Na volta ao quarto, no hotel, tentei, sem sucesso, descansar. Levantei-me, troquei de roupa e saí procurando alguma atração naquela pequena cidade. Descobri que todos iam para a igreja onde se realizava diariamente a missa dos peregrinos. Foi lá que, entre tantas outras pessoas que também faziam o caminho, recebi as bênçãos do pároco local. Senti uma grande emoção, porque vi gente de muitas partes do mundo fazendo o mesmo que eu, dando uma pausa no seu trabalho, na sua vida, para fazer algo espiritual. Mais ainda, estávamos no mesmo lugar aonde peregrinos vinham passando havia mais de oito séculos!

Depois voltei ao hotel e arrumei minhas coisas para a caminhada. Procurei dormir cedo, já que pretendia sair de madrugada.

O relógio marcava seis e quinze da manhã quando deixei o quarto em direção ao salão de refeições do hotel para um rápido café da manhã e o fechamento da conta. A ideia era colocar a mochila nas costas, assim que possível, e partir, mas, ainda no saguão, vi três senhores em uma animada conversa, com todo jeito de que a coisa vinha rolando desde a madrugada.

– Bom-dia.

– *Bueno dias...* Peregrino?

– Sim. Começando exatamente hoje. Estou vindo do Recife... do Brasil.

– Brasil? *Que bueno! Mira, este és Petrus, el guia de Pablo Coelho!*

– Pablo Coelho?

– *Si, Pablo Coelho, el escritor.*

– Ahhhh, Paulo Coelho... Peraí, esse é o Petrus, o guia que ele cita no livro?

– *Claro, hombre...*

Imagine a minha cara. Será que era mesmo o tal do Petrus, ali ao meu lado, na hora em que eu iria começar minha caminhada? Saquei na hora o meu exemplar do *Diário de um mago* e ele, no clima, já foi autografando. De maneira divertida, conversamos um pouco. Muito simpático, observou:

– *Hay muchas fantasías de Pablo* – referindo-se à narrativa do famoso escritor.

Poderia até ser brincadeira de um grupo de amigos diante de um brasileiro conversador. O suposto Petrus até que tinha pinta de guia, mas talvez não passasse disso. Não importa, o fato é que senti que era uma coincidência grande demais encontrar ali o guia de Paulo Coelho, logo no meu primeiro dia.

Depois, quando consegui ler o livro, percebi que o Petrus sempre se recusou a assumir o papel de bruxo que o Paulo Coelho insistia em ver nele. Claro, isto fazia parte da mensagem mais importante da obra: cada peregrino é único e a sua própria história a mais importante para aquela caminhada. Não existe magia maior do que a sua própria vida.

O DIÁRIO
DE
UM MAGO

Finalmente ganhei a estrada.

Segui até o fim da rua, conforme indicação das pessoas no hotel, e, ao entrar num trecho de terra batida, comecei a ver as placas indicativas do caminho. E também alguns outros peregrinos que começavam o seu dia.

Tudo ali era novo para mim. Uma paisagem muito diferente dos lugares que eu conhecia no Brasil, pessoas falando todos os idiomas possíveis, nada de computadores e *e-mails*. Atravessei a zona industrial de Cuatro Vientos para sair de Ponferrada e segui pela zona rural, passando por vinhedos na direção de Cacabelos.

Às 11h30 comi meu primeiro *bocadillo*, o lanche matinal do peregrino. É uma espécie de pão tabica (ou baguete), recheado de queijo branco e um corte de pernil, acompanhado de um suco ou copo de café com leite. Só por volta das 16h30 é que parei para almoçar de verdade. Escolhi o "cardápio do peregrino", que incluía uma salada, um prato de massa e uma fatia de carne acompanhando uma botija de vinho, outra de água e uma sobremesa, disponível em todos os lugares daquela rota. Tudo ao custo de oito euros. Durante muitos dias essas seriam as minhas refeições padrão, com o detalhe de quase sempre eu abrir mão do pernil do *bocadillo*.

Ainda com Sol a pino, cheguei a Villafranca Del Bierzo, uma cidadezinha muito simpática na região de León, com construções antigas, todas de pedra, e uma praça central onde os peregrinos se encontram. Tomei um chocolate quente para aplacar o frio que prometia momentos difíceis adiante.

Tudo ali é muito antigo. O Hostal Comercio, onde fiquei, é uma hospedaria do século XV. A construção é rústica, mas com um longo vão por onde se espalhavam dezenas de camas sobre um piso de madeira gasto. As pessoas costumam ser simpáticas e conversar sobre tudo, em várias línguas, e partilhar o jantar com várias garrafas de vinho. É o momento de contato humano depois de tantas horas sozinho com os próprios pensamentos. Eu tinha feito vinte e dois quilômetros naquele primeiro dia.

SONHO ESTRELADO

De Villafranca del Bierzo, a partir da ponte medieval, são vinte e nove quilômetros até o Cebreiro. Os primeiros passos pelo asfalto bem sinalizado não dão ideia do que está pela frente: uma subida de mais de mil metros em sete quilômetros!

No tempo frio e úmido de outubro, aquilo me pegou feio. O que é que eu estava fazendo ali? Ia parar no dia seguinte e pegar um avião de volta! Tudo doía e meu corpo ficou enregelado. Naquele mês morreu um rapaz ali, por ficar exposto ao frio.

Quando finalmente consegui atingir o Cebreiro, já de noite, tive que procurar um hotel com água quente para um banho. Só após trinta minutos embaixo do chuveiro consegui mexer os dedos das mãos e voltei a sentir o nariz e as orelhas. Desabei na cama sem forças para me levantar e ir jantar.

Achei que seria meu último dia ali, mas o caminho tem uma força que a gente não espera. Ele puxa a gente, faz continuar. No dia seguinte levantei bem menos dolorido do que esperava e sem perceber estava lá de novo, dando um passo atrás do outro. Depois que a gente entra no ritmo, imagens e conversas começam a brotar na cabeça, a gente lembra coisas que estavam enterradas lá no fundo.

Senti-me andando com meu pai na Bahia cinquenta anos antes.

*Bahia,
o seu nome principia
com o canto e a magia.*

Osvaldinho da Cuíca, Namur
e Macalé do Cavaco,
Jorge Amado

3
Na terra do cacau

Uruçuca, perto de Ilhéus, sul da Bahia
Novembro de 1958

– Tuuucaaaa, vem pegar o almoço pra levar pro teu pai!

Em um golpe rápido, recolhi as bolas de gude da areia, sempre quente das ruas de Uruçuca, e fui correndo atender ao chamado de minha mãe. Os outros moleques entendiam quando um jogo tinha que terminar, não precisava perder tempo explicando. Mãe mandou, era obedecer.

Dona Domingas era uma mulher batalhadora, sua vida era cuidar da casa e dos filhos. Nós morávamos em uma casa muito simples, sem água encanada, na vilazinha de Uruçuca, pertinho de Ilhéus.

Ela era filha e neta de fazendeiros, mas tinha escolhido casar com meu pai, Álvaro Francisco, um simples ajudante de pedreiro. Sua família não gostou e não a ajudou em nada.

Nós éramos cinco crianças. A mais velha era Janete, menina calma que desde cedo ajudou minha mãe com a casa. Eu era um ano mais novo, mas tratado como o mais velho por ser menino, meu pai sempre foi bem próximo de mim. Depois de mim tinha a minha irmã Dulce, o Alvinho, que era cinco anos mais novo que eu, e Eduardina, que nós chamávamos de Dunga por causa de seu choro sem fim quando nasceu.

Eu fui um moleque criado livre, só de calção e chinelo, queimado de sol, correndo pelas ruas de terra e nadando no rio Água Preta com meus amigos. Mas trabalhava. Aos sete anos era minha função levar a marmita de meu pai até a sede do Instituto do Cacau da Bahia, onde ele era responsável pelas obras de construção e reparos. A comida era feijão, arroz, farinha, e, sempre que dava, um bife ou, mais raramente, uma coxa de galinha.

Naquela época, fim dos anos 1950, Uruçuca era uma cidade de uns 3 mil habitantes apenas, sem luz e com poucas ruas calçadas. A principal atividade ainda era o plantio do cacau, chamado de fruto de ouro por causa da cor e de ser facilmente transformado em dinheiro vivo.

A região era aquela que Jorge Amado descreve em seus romances, o povo humilde acostumado a respeitar o mando de coronéis como Cazuza Farias, Joaquim Cardoso e Osmário Neves. Esse último mais tarde viria a se tornar prefeito do município e faria um chafariz na praça, onde eu ia buscar água para minha mãe.

Meus pais me colocaram na escola desde os cinco anos, frequentei o Grupo Escolar Carneiro Ribeiro. Só que eu não gostava de ficar lá sentado ouvindo a professora. Meu pai insistia que eu estudasse, mas não tinha como dar exemplo, ele mesmo não sabia ler. Fui eu quem o ensinei a assinar o próprio nome para receber o salário. Minha mãe sabia ler e escrever, mas não se dedicava a nada cultural.

Além disso, o fato de não ter energia elétrica na cidade criara o mito de que estudar à luz do candeeiro fazia mal à vista, o que para mim era mais do que conveniente. Se o ambiente dentro de casa não era estimulante, fora era em demasia. Naquela vida solta dos moleques de Uruçuca, sempre havia um baba – que era como chamávamos o futebol no meio da rua lá na Bahia –, um racha de pião ou um banho de rio. Tudo muito mais interessante do que a precária sala de aula da escola pública da cidade.

Lá pelos meus nove anos de idade, meu pai comprou um sítio a duas léguas da cidade, o que dá uns doze quilômetros, de uns parentes de minha mãe. Lá, ele começou, sozinho, uma pequena lavoura de cacau, além de plantar aipim, alguns pés de seringueira e manter uma horta que dava folhas e legumes para a família.

A partir de então, toda sexta-feira no meio da tarde, nós saíamos a pé, meu pai e eu, pelas estradas da região até o sítio. Ele levava um embornal com roupas e comida, eu ia atrás, me distraindo em tentar acertar passarinho com bodoque, que nunca consegui. Chegávamos ao começo da noite e fazíamos feijão com carne de sol, que comíamos com farinha. Antes de o Sol nascer íamos para a roça: eu ajudava meu pai a riscar as seringueiras e depois recolher bolas de borracha, a plantar cacau e mais tarde colhê-lo, tirar mato da terra e todo tipo de trabalho. Meu pai chegou a recolher de dez a doze sacas de quatro arrobas lá do sítio. Nós trazíamos o cacau e também as bolas de borracha em lombo de burro, pois ninguém tinha carro.

Meu pai fazia o mais pesado, claro, eu era muito criança no começo. Às vezes, brincava com meus primos que moravam no sítio enquanto ele saía antes do café. Com o passar dos anos, no entanto, comecei a dar duro ali e também como ajudante de pedreiro nas obras que ele inventava de fazer além de seu trabalho no Instituto do Cacau. Voltávamos sempre aos domingos, logo depois de almoçar, retornando para casa ao entardecer.

Essa rotina se repetiu por pelo menos cinco anos e me marcou demais. Meu pai não era homem de falar muito, nunca me deu um beijo, mas conviver com ele me ensinou tudo. Ele era completamente honesto, nunca enganou ninguém, não falava mal das pessoas, não fazia fofoca. E trabalhava direto. Ia de casa ao trabalho, do trabalho para casa. Era pedreiro, mas resolveu que ia plantar cacau e nós ganhamos um dinheiro com isso. Preocupava-se muito com a família.

– Tuca, quando eu não mais estiver aqui, cuide para que essa terra continue garantindo o sustento de nossa família.

Ele construiu, nos intervalos de seu emprego, dezesseis casas de aluguel! Eram casas simples como a nossa, de sete metros de frente, banheiro no fundo do quintal, uma sala e um quarto, mas ele as fez sozinho, apenas com a minha ajuda.

Ele recebia o dinheiro da venda do cacau, comprava um terreno – naquela época a terra era muito barata – e o material. Aos poucos construía uma casinha, que depois de terminada ele alugava. Desse jeito simples, com muito trabalho duro, com seu chapéu de palha sempre na cabeça, ele foi aos poucos aumentando o que tinha.

Ele falava de honestidade e era o próprio exemplo. Uma vez, um colega do grupo escolar quebrou o vidro de uma janela. O diretor queria saber quem tinha sido, mas eu me recusei a dizer. Fui suspenso e chamaram meu pai para reclamar.

Ele veio de noite falar comigo, eu respondi que não achava certo delatar um companheiro. Ele pensou um pouco e disse:

– Está certo. Fique em casa os dias da suspensão e depois vá atrás do que perdeu no estudo.

Quando eu fazia alguma coisa errada, ele me repreendia de modo bem calmo:

– Meu filho, não faça isso... Você tem que ser exemplo para os seus irmãos. Tuca, você é o filho mais velho!

Ele me pagava bem pouco pela minha ajuda, dava apenas para ir à matinê de cinema, de vez em quando, ou fazer umas farras regadas a rum e Coca-Cola. Mas foi numa sessão de cinema, quando eu tinha quinze anos, que vi o *Homem de seis milhões de dólares*.

Eu nem me lembro mais da história, mas o que ficou na minha cabeça foi que o sujeito precisava desse dinheiro todo e conseguiu. Eu saí dali meio que em transe: "Eu quero um milhão de dólares!".

Eu tinha vergonha da nossa pobreza. Ficava meio sem jeito quando ia falar com as meninas e minha roupa era tão simples. Eu via meu pai trabalhando e sustentando a família, mas me parecia muito difícil aquele caminho. A vida ali em Uruçuca era muito dura, eu não via jeito de ser diferente. Mas quando um sonho fica aceso dentro da gente, nunca se sabe o que pode acontecer.

Um dia, apareceu um vizinho, o Eron, trazendo recado do seu pai, o Manoel Faustino, que trabalhava como administrador na fazenda de um parente nosso. Ele gostaria de me ver.

– Vamos lá, rapaz, doutor Anastácio vai gostar de lhe conhecer – disse o Eron.

– Quem é esse tal de Anastácio, mãe? – eu quis saber.

– Ah, meu filho, isso é um primo rico que tem umas fazendas de cacau aí por dentro.

Marcamos o dia e lá fui eu com o Eron para a fazenda Aurora. Ao chegarmos, dona Sílvia, esposa do Anastácio, foi logo perguntando:

– Quem é esse menino aí?

– É um parente do doutor Anastácio, dona Sílvia.

– Anastácio, vem cá que tem um parente teu aqui fora – ela chamou.

Um senhor forte, de cara bondosa, apareceu.

– Você é filho de quem, menino? – perguntou.

– De Domingas.

– Ah, Domingas, minha prima, como é que ela vai? E meu tio Domingos?

Domingos era meu avô, aquele que não tinha gostado do casamento de minha mãe. Apesar de ser bastante bem de vida, ele nunca nos ajudou. Conforme meu pai foi melhorando sua condição, ele até se aproximou um pouco, mas preferia meus primos a nós.

Ainda assim, Anastácio gostou de mim. Não tinha filhos e acho que meu jeito simpático, falador, o agradou. Passei a visitar com frequência as fazendas desse primo da minha mãe. Dona Sílvia, que Anastácio só chamava de "Shiva", me recebia de maneira muito gentil e carinhosa. Eu ia lá e passava muitos dias, principalmente nas férias de julho e dezembro.

Depois de um tempo o Anastácio começou a comentar:
– Você não pode ficar aqui, Tuca. Vai ter que ir para Salvador.

Para mim, isso soava como uma grande aventura que, quem sabe um dia, eu teria condições de realizar. Esse dia chegou quando eles me levaram para conhecer a capital. Na estrada, sofremos numa kombi muito velha, mas a capital me deixou encantado.

Que coisa mais linda aquela cidade enorme, cheia de gente e movimento! Para um garoto do interior era de arregalar o olho. Mas eu não me assustei, ao contrário. Pareceu que era um rio me convidando a nadar, quis mergulhar de cabeça no redemoinho. Aquela viagem bastou para que eu soubesse que precisava tentar a vida a 410 quilômetros de casa.

Eu não tinha a menor noção de como conseguiria sobreviver, não sabia o que fazer em Salvador, mas queria ir de todo jeito. Um salário mínimo era tudo quanto meu pai ganhava para criar cinco filhos e manter todos na escola. "Como vou conseguir mudar para Salvador?"

Anastácio foi quem me abriu essa porta. Quando terminei o que na época se chamava ginásio, não tive mais onde estudar em Uruçuca. A prefeitura pagava uma perua para levar os meninos que continuavam os estudos num colégio em Itajuípe, cidadezinha vizinha. Eu fui, mas o programa durou só um ano. Ao final do meu primeiro ano de colegial, não havia meninos suficientes para serem levados, eu teria que parar de estudar.

Anastácio não achou bom. Creio que viu em mim algum potencial e resolveu me bancar na capital. Arrumou uma pensão para mim, providenciou minha carteira de identidade – eu tinha vivido até então sem nenhum documento! – e fiz minha malinha pequena, com poucas roupas e um entusiasmo enorme.

Saí muito cedo para pegar um ônibus que vinha de Ilhéus, passando em Uruçuca com destino a Salvador.

– Pai, tô indo!

– Cuidado na vida, meu filho. Lembre-se de ser honesto com as pessoas. E não se esqueça de seus pais, aqui. Dê notícias.

– A bênção, mãe!

– Nosso Senhor do Bonfim te acompanhe, meu filho. Deus te abençoe! – ela falou sem segurar o choro.

Só fui chegar à noite a Salvador. Chorei também durante toda a viagem.

Ó Deus, sê para nós
Companheiro na caminhada,
Guia nas encruzilhadas,
Alento no cansaço,
Defesa nos perigos,
Sombra no calor,
Luz na escuridão,
Consolo nos desalentos,
e firmeza em nossos propósitos.

Oração do peregrino

4
Buen camino

Santiago de Compostela, Espanha
24 de outubro de 2004

Assim que entrei em Santiago de Compostela, me dirigi à sala da Oficina do Peregrino, local onde todos vão apresentar as suas Credenciais de Peregrinos devidamente assinadas e carimbadas nos albergues do caminho. Arrastei-me até lá. Os pés quase não aguentavam dar mais um passo.

Na Oficina, temos de responder a uma série de perguntas, como de onde tinha vindo, idade, ponto de partida do caminho e outras informações do gênero.

– O senhor agora sabe o porquê de ter vindo fazer esta caminhada? – perguntou-me a senhora responsável por entrevistar a todos os peregrinos que teriam a presença citada na missa da catedral.

Não consegui dizer uma palavra, caí no mais profundo pranto. Ela me olhou bem e comentou:

– Pessoas como o senhor são os verdadeiros peregrinos. São os que foram chamados. Pode se dirigir à catedral, apresente seus dados e a compostelana lhe será entregue.

A compostelana é um diploma que vem lá da Idade Média e atesta que o caminhante fez o percurso. Em 1462, os reis da

Espanha foram a Santiago e ficaram impressionados com os problemas de saúde de tantos peregrinos, mal assistidos quando finalmente chegavam. O casal real resolveu então mandar construir um belo hospital, e quem tivesse a compostelana podia ficar ali gratuitamente por três dias.

O texto do meu documento, em latim, dizia o seguinte:

> *O capítulo desta Venerável Igreja Apostólica e Metropolitana Compostelana, guardião do selo do Altar do bem-aventurado são Tiago, que a todos os Fiéis e Peregrinos vindos de todo o Orbe terrestre, por sentimento de devoção ou por motivo de promessa, à morada de Nosso Apóstolo Patrono e Protetor dos Espanhóis, fornece autêntico certificado de visitação, a todos e a cada um que vier examinar esta presente, faz saber que José Ubaldo do Nascimento visitou devotamente este sacratíssimo Templo por motivo de fé. (causa pietatis).*
> *Em testemunho entrego este documento endossado com o selo desta mesma Santa Igreja.*
> *Entregue em Santiago de Compostela 24 de outubro de 2004, ano do Senhor.*
>   *O Canônico Representante para os peregrinos.*

Olhei para ele com muita emoção. Muitas coisas tinham acontecido desde a penosa subida ao Cebreiro.

Depois de todo o frio e o sofrimento da subida, e de ter acordado relativamente bem no dia seguinte, tinha me colocado na estrada mais uma vez.

O que eu não contava era que dos vinte e um quilômetros até o meu destino daquele dia, doze deles – a descida até Triacastela – fossem tão ou mais desgastantes quanto a subida do Cebreiro.

Descobri, à custa de dores em todo o corpo, principalmente na ponta dos dedos dos pés, que andar freando o corpo para evitar uma queda também é muito cansativo.

Ao chegar a Alto do Poio, uma pequena vila a 1.335 metros de altitude, parei em uma cantina para um lanche. Lá, já estavam outros peregrinos, muitos no caminho havia vinte dias ou mais. O desgaste físico incomodava a todos. Uma mulher comentou no mais perfeito "portunhol":

– A única coisa que fará você esquecer e superar a dor na caminhada é a oração. Pense em Deus, peça por quem você acredita que Ele vai lhe ajudar. Medite andando.

O grupo continuou a caminhada enquanto eu fiquei aguardando para comer e descansar um pouco mais, mas as palavras da mulher ficaram ecoando em meu pensamento e me trouxeram de volta a imagem do meu pai (sempre ele), renovando minhas forças para continuar. Mesmo tendo chegado até ali, a ideia de desistir era recorrente.

Saí rezando, tentando esquecer as dores. Não adiantou. Em um trecho mais à frente, uma reta muito extensa, parei e coloquei as mãos sobre os joelhos, em um movimento semelhante ao de um jogador de vôlei esperando o saque da equipe adversária. Essa era minha posição quando, não sei de onde, um homem apareceu e perguntou:

– O que sentes?

– Dor, muita dor!

– Onde dói mais?

– Aqui, por trás, na batata da perna.

Ele agachou-se, pegou minha perna com as duas mãos e apertou por uns trinta segundos. Levantou ordenando:

– Caminha!

Arrepios percorrem meu corpo todas as vezes que me lembro disso. Recomecei a caminhar sem nenhuma dor. Virei-me para agradecer, olhei para todos os lados, mas o homem simplesmente havia sumido.

Em silêncio, agradeci a Deus. Não tem como não ter fé numa hora dessas. Caminhei até o meu destino o resto do dia sem saber o que era dor.

Em Triacastela, dormi no Albergue Paroquial. Lá, o peregrino não paga nada. Eles pedem apenas que, se houver condições, cada um deixe donativos para o benefício de todos que passam pelo local. Fui dormir ainda impressionado com o que acontecera durante o dia.

Na manhã seguinte, após conferir o guia impresso como sempre fazia, decidi caminhar até Barbadelo, uma pequena comunidade próxima à cidade de Sarria. Seriam vinte e três quilômetros. Percorri o trecho tranquilamente. O terreno plano e a temperatura amena ajudaram, até a mochila nas costas estava menos incômoda. É bem verdade que, àquela altura, já tinha deixado várias peças pelo caminho e levava apenas o estritamente necessário. Alcancei Barbadelo muito antes do pôr do sol e fui para o albergue Casa de Carmen, toda de pedra e muito charmosa.

Lá, mais conversas com peregrinos no fim do dia, naquela babel de línguas. O engraçado é que todo mundo sente muito mais a semelhança do que a diferença. Todo mundo foi lá para pensar um pouco, dar uma pausa. Todo mundo tem problemas que vão aparecendo com as longas caminhadas, vão ficando mais claros. E todo mundo tem dores nos pés, nas pernas, nas costas! Uns ajudam os outros e o vinho é compartilhado, imagino que do mesmo jeito desde o século VIII, quando peregrinos começaram a vir por aqui até o túmulo de São Tiago.

A próxima etapa seria chegar a Portomarín, uma cidadela linda, com uma ponte medieval na entrada e muitas escadarias de pedra. A gente se sente em outro tempo andando ali com o cajado na mão.

Com Santiago de Compostela a menos de cem quilômetros de distância, a informação era de que haveria agora muito mais gente no caminho. Boa parte são turistas curiosos, que buscam sentir um pouco da experiência da peregrinação fazendo um trecho relativamente curto.

No entanto, como estava muito frio, não encontrei tanta gente assim na estrada, tendo tempo para ficar com meus pensamentos. A dois quilômetros da entrada de Portomarín há um longo trecho em declive, daqueles que testam a resistência de qualquer um, mas consegui fazê-lo sem maiores dificuldades.

A igreja da cidadezinha é mais uma construção medieval grandona e severa. Fui à missa do peregrino como tinha feito todos os dias, com exceção da tarde no Cebreiro. Dá para sentir a fé das pessoas que estão percorrendo o caminho e ali fiquei em comunhão com Deus.

O que me aguardava no dia seguinte seriam vinte quilômetros até Palas Del Rei, que deveriam ser fáceis. Entretanto, as dores do corpo voltaram a aparecer. Disse a mim mesmo: "Tuca, não é hora de desistir! Onde está aquela determinação que você disse que tinha?". Eu falei muito comigo mesmo pelo caminho todo, e depois dessa chacoalhada interna fui em frente.

Buen camino é a saudação que se costuma dar ao cruzar com outros peregrinos. Tanto faz estar andando ou parado, o início da conversa é sempre o mesmo. Naquele dia, observei uma mulher vestida com uma roupa comprida e um manto na cabeça, dava para ver apenas parte do rosto. Calçava uma sandália de couro parecida com as alpercatas nordestinas. Não levava mochila nem carregava qualquer objeto. Ao me aproximar dela, saudei com o usual bom caminho! Não obtive resposta. Continuei caminhando e me distanciei. Horas mais tarde, quando não havia uma única pessoa à vista, ela surgiu novamente. Um calafrio me atravessou da cabeça aos pés. Fiquei paralisado por alguns minutos. Da mesma forma que surgiu, ou seja, do nada, ela desapareceu de novo.

Anos depois, vim a entender o significado daquela aparição. Fazer o Caminho de Santiago mexeu muito comigo, apesar de eu ter ido num impulso, como contei. Ali quem tem alguma abertura para o espiritual sente um monte de coisas, e foi o meu caso. Tenho certeza de que esta foi a visão de uma das entidades que guardam o caminho. Eu sou muito sensível a energias e aprendi a confiar no que sinto. Naquele dia senti que estava sendo abençoado.

Até chegar a Palas Del Rei a paisagem é muito bonita. Em vez das pedras e dos campos planos de antes, o peregrino atravessa bosques muito verdes, com água fresca correndo. É um bálsamo, nem senti os quilômetros daquele dia.

No dia seguinte acordei às 5 da manhã e logo arrumei minhas coisas para sair. Instalei minha lanterna na testa para enxergar alguma coisa no breu, especialmente as placas que indicam o caminho. Como pretendia dormir em Arzúa, a vinte e sete quilômetros dali, precisava sair cedo.

Um pouco antes da metade do meu percurso, naquele dia cheguei a Melide, famosa na região por oferecer o "polvo mais gostoso do mundo". Apesar do apelo quase irresistível, não me arrisquei, preferi ficar no cardápio do peregrino. O que me chamou a atenção foi uma placa: "Santiago de Compostela – 50 quilômetros".

"Vou chegar", pensei comigo mesmo.

Mas as dificuldades continuavam. Meus tênis estavam cada vez mais encharcados por causa da lama que aumentara bastante. A chuva fina deixava as trilhas escorregadias e o caminho bem mais penoso.

Em Arzúa, pela primeira vez telefonei para casa. Quando minha esposa atendeu, choramos os dois, sem conseguir dizer uma palavra. Passada a emoção inicial, disse que não se preocupasse, que estava tudo bem, que eu conseguiria chegar a Santiago. Enfim, as únicas coisas a serem ditas naquelas circunstâncias.

Fora aquele telefonema, praticamente não fiz contato com o Brasil. Estava completamente desconectado, sem celular, computador ou coisa parecida, fiel à decisão de viver aqueles dias como um autêntico peregrino.

De Arzúa a Compostela são aproximadamente quarenta quilômetros. É até possível fazer isso de uma tacada, mas se tem uma coisa que todo peregrino aprende é a respeitar seus limites. Cada um tem seu ritmo, seu dia, suas distâncias, não há como seguir ninguém. Cada um faz seu caminho. Eu respeitei meu corpo e decidi fazer o trecho em duas etapas, parando em O Pedrouzo.

Finalmente, no dia 24 de outubro, comecei cedo a última parte da minha jornada. Eu estava eufórico, mas ao mesmo tempo um tanto ansioso: o que mudaria em minha vida após alcançar meu intento?

Já nas primeiras horas, pude testemunhar o clima de festa entre os poucos caminhantes que passavam por mim. Minha atitude foi oposta, preferi manter a introspecção.

Subir o Monte do Gozo é desgastante, mas de lá já é possível ver as torres da catedral. É uma colina famosa por ser a última parada antes de Santiago de Compostela. Há um monumento em homenagem à visita do papa João Paulo II em 1989, um ano jacobeu (ano considerado mais santo para se fazer a peregrinação, quando o dia de São Tiago, 25 de julho, cai num domingo). Muitos decidem pernoitar no centro de apoio ao peregrino, um complexo de hospedarias e albergues a pouco mais de quatro quilômetros de Santiago, mas preferi continuar descendo e concluir o caminho naquele mesmo dia.

A poucas centenas de metros da entrada da cidade, eu já me derramava em lágrimas. Agradecia a Deus por estar inteiro no fim daquela manhã. Tudo voltava à minha mente como se fossem trechos rápidos de um longo filme: meu pai, minha mãe, minha esposa, minha filha, os meninos da Friboi, meus clientes, os velhos amigos...

Entrando no trecho urbano, a sensação é a de estar carregando algumas pedras pesadas agarradas nas pernas. Após sair da Oficina do Peregrino e fazer o meu cadastro, me dirigi finalmente para a catedral de Santiago.

A vastidão do pátio na frente da igreja é um espetáculo à parte. Iniciei a meditação ali mesmo, sentado no chão, olhando para a construção medieval que se tornara uma obsessão nos últimos dias.

Por fim entrei na catedral poucos instantes após o fim de uma missa. Minha aparência era realmente a de um peregrino medieval, pois desde que saíra do Recife não me preocupara em fazer a barba. Penteava o cabelo pela manhã e só. Estava também sujo e cansado.

Já quase não havia peregrinos, que evitam fazer o caminho no inverno. Perdi a voz e quase perco a consciência ao dar os primeiros passos sobre aquelas pedras marcadas pelos milhares de peregrinos em tantos séculos. Os fiéis e os turistas saindo da missa abriram caminho para que eu passasse, chegando a tirar fotos ao meu lado, provavelmente para registrar a ocasião em que estiveram junto de um peregrino. Houve também a emoção sincera de muitos que estavam ali, como dois paulistas que acabaram se tornando meus amigos. De volta ao Recife, recebi pelo correio cópias das fotos que ambos fizeram do nosso encontro na catedral. Posteriormente, nos encontramos em diferentes oportunidades, inclusive durante a inauguração da Sala Virtual da Associação de Peregrinos de Santiago de Compostela em São Paulo.

Finalmente, recebi minha compostelana, guardei-a bem para não correr o risco de amassá-la e fui à busca de um hotel.

Já instalado num bom quarto, prazer e cansaço tomaram conta tanto do meu corpo quanto do meu espírito. Cada metro percorrido estava muito vivo na minha memória. Tive a impressão de que voltaria.

*Quem vai ao Bonfim, minha nêga,
Nunca mais quer voltar.
Muita sorte teve,
Muita sorte tem,
Muita sorte terá.*

Dorival Caymmi, *Você já foi à Bahia?*

5
Muitos começos

Salvador, Bahia
Fevereiro de 1969

A Jovem Guarda estava na crista da onda. E o Tuca aqui bem que agradava quando mandava ver com o seu repertório de Renato e seus Blue Caps ou da dupla Roberto e Erasmo Carlos. Eu adorava Roberto Carlos, desde criança cantava as músicas dele de cor. Agora que estava na cidade grande, a euforia de viver no meio dos acontecimentos se traduzia em música e noitadas.

O país estava tumultuado, estudantes de esquerda participando de manifestações de rua violentas contra a ditadura, com muitos confrontos com as forças armadas. A paquera rolava solta em todas as rodas, das mais às menos politizadas. Havia muita festa ao som das canções que saíam dos programas de televisão das tardes de domingo para fazer sucesso em todo território nacional. Essa era a minha praia. Tornei-me figurinha carimbada soltando a voz ao som dos violões.

Como sempre fui de fazer amizades, em Salvador logo me enturmei com um grupo que gostava de música e de namorar. Cantei em muitas e diferentes ocasiões, foi a melhor chave para abrir portas e iniciar relacionamentos.

Nos primeiros meses, morei em uma casa com outros oito rapazes, todos eles de Uruçuca. Depois, para economizar o dinheiro do ônibus, mudei para um pensionato no bairro da Mouraria, próximo ao Colégio Central. Tudo financiado pelo primo Anastácio.

Ele morava numa casa no alto do Rio Vermelho, das janelas a gente tinha uma vista belíssima para o mar. Era um bairro dos melhores, a um passo de todas as festas das redondezas, principalmente a de 2 de fevereiro, dia de Iemanjá. O escritor Jorge Amado era vizinho e amigo de Anastácio, e sempre muito simpático. Encontrei-o várias vezes nos fins de semana em que visitava meu primo.

Anastácio foi meu segundo pai, conseguiu uma vaga para mim no Colégio Central de Salvador, a escola pública de maior prestígio do estado, ao falar com seus amigos políticos. O ex-governador Antônio Carlos Magalhães, o cineasta Glauber Rocha e o médico Eliseu Resende foram alguns dos alunos dali.

Agora que estava em um colégio de peso, achei que devia estudar a sério. O problema era que a cidade era agitada demais. Muita novidade para quem saía das vistas do pai severo pela primeira vez. Bastava uma folguinha das aulas para surgirem uns danados de uns namoros, babas de futebol e muita cantoria.

Nos fins de semana visitava Anastácio e Sílvia. Quase sempre, após um almoço ou um jantar, ela colocava algum dinheiro no bolso da minha camisa sem que ninguém percebesse e cochichava: "Cuidado com a gonorreia, viu!?".

O futebol todo sábado na praia de Piatã deu um pouco de fama ao moreninho magrinho do interior, "lá das bandas de Ilhéus". Levaram-me para treinar com os garotos do juvenil do Ypiranga, na época um time campeão, dono de dez títulos estaduais. Sempre adorei o jogo e lá ganhei uma paixão que trago até hoje pelo futebol baiano, principalmente pelas cores vermelha e preta do Vitória.

A cada seis meses, sempre nas férias, viajava para visitar a família em Uruçuca. Aquele molequinho franzino que deixara a cidade voltava agora bem mais produzido, cabelo grande e ouriçado – como mandava a moda na época – e um jeito namorador que deixava saudades em algumas moças, geralmente amigas de minha irmã do meio, a Dulce. As viagens serviam também para confirmar o sentimento de que o meu futuro seria distante daquela cidade simples. Eu sentia falta dos meus pais e irmãos em Salvador, mas tinha certeza de que nunca mais voltaria a viver em minha terra.

Uma vez, estava com uma turma na avenida Joana Angélica quando começaram a ecoar palavras de ordem de uma manifestação de estudantes. De repente, a cavalaria da polícia chegou e levou o grupo todo para uma delegacia, eu no meio. Somente depois de seis horas fui interrogado por um delegado:

– O que é que o senhor estava fazendo nessa manifestação? Quais são seus objetivos?

– E eu sei lá, seu delegado. Todo mundo foi e eu fui também. Mas não sei esse negócio de objetivo nenhum, não.

Levei um esporro danado e escutei a ameaça de que, se eu aparecesse em novas manifestações, seria fichado e preso. Apesar do susto, poucos minutos depois fui liberado com a maior parte do grupo. Aquela foi minha primeira e única passagem por uma delegacia de polícia. E o fim de qualquer militância política para mim.

Salvador foi meu primeiro passo no mundo, mas também onde passei uma grande tristeza. Um dia estava lá na minha pensão e chegou um primo dizendo que meu pai tinha morrido.

A comunicação era difícil na época, pouca gente tinha telefone, as notícias eram dadas assim, pessoalmente.

Não acreditei. Meu pai era um homem forte, sem problema de saúde, achei que meu primo tinha se enganado, que quem tinha morrido era meu avô. Fui para Uruçuca o mais rápido que consegui, para encontrar meu pai de fato morto.

Senti uma dor enorme no peito, aquele homem simples era a minha raiz, meu exemplo. Fiquei arrasado e bastante perdido. Só que, com essa perda, foi mais fácil eu me dedicar completamente a ter uma vida longe de minha cidade natal. Minha mãe e meus irmãos moravam ali e parecia que não queriam sair. Sem meu pai, eu consegui me concentrar nos meus sonhos e de fato ir atrás deles. Anastácio foi meu pai substituto, colocou-me para morar com ele e me tomou ainda mais sob suas asas.

Quatro anos depois de chegar a Salvador, prestei vestibular para as principais universidades públicas da cidade. O resultado não foi nada bom, eu nunca fui grande coisa nos estudos acadêmicos. Assim, me preparei para arrumar um emprego.

Meu protetor abriu a primeira porta:

– Já falei com o Ayupe, gerente do Banco Comércio e Indústria de Minas Gerais. Segunda-feira que vem, você deve se apresentar lá. Ele vai lhe explicar melhor – declarou Anastácio.

Lá fui eu, nervoso.

– Então você quer ser bancário? – perguntou Ayupe ao me receber.

– É, quero sim!

– Mas, com esse cabelo grande? Isso não combina com um bancário!

– Não, isso não quer dizer nada... Não se preocupe.

– Então vá lá! Apresente-se ao Clóvis.

Clóvis, o contador da agência, era um sujeito feio que só, com uns óculos enormes que chamavam ainda mais a atenção para sua figura.

– O senhor tem alguma prática de atividade bancária?

– Não.

– Foi indicado por quem?

– Anastácio.

– Ah, Anastácio, muito bem. É um homem muito respeitado aqui.

Nessa época eu não sabia nem datilografar, daí o jeito foi procurar um curso. Passei quatro dias teclando "asdfgasdfgasdfg". Não melhorei muito, mas bastou para passar no teste de admissão. Finalmente o primeiro emprego!

Nos primeiros dias, fiquei observando e aprendendo o ofício de apoio aos caixas. Eu não sabia nada, mas tinha certeza de que podia aprender. Dois meses depois, já dominava as atividades e era até elogiado por muitos clientes. Passei quase um ano trabalhando como caixa bancário. Sentia que era querido por todos da equipe e fiz boas amizades na agência.

Um dia, Anastácio, sempre ele, disse que seria bom eu ir falar com o Antônio Bacelar Tourinho, diretor regional da Sanbra. Eu não imaginava, mas meu caminho profissional começava de verdade ali.

Cheguei à empresa um tanto tímido, mas me apresentei à secretária do Tourinho. Sem muita demora, ela pediu que eu entrasse na sala. Estranhei a agitação: pessoas falavam muito rápido e sem parar, como se não tivessem tempo para resolver o que precisavam. Tourinho olhou para mim e ordenou:

– Senhor Ubaldo? Volte para casa, faça a barba, corte o cabelo e retorne amanhã para falar comigo.

Levei um susto, mas obedeci.

No dia seguinte, voltei devidamente barbeado e tosado. Dessa vez, a espera foi menor, mas a conversa não foi menos curiosa:

– Bom-dia. Senhor Ubaldo, é esse mesmo o nome?

– Bom-dia. É sim, José Ubaldo do Nascimento.

– Você fuma?

– Fumo.

– Bebe?

– Bebo sim, senhor.

– Gosta de mulher?

– Muito.

– Ô Perrone, venha cá! Contrate o rapaz. Encaminhe-o para o departamento de pessoal!

– Obrigado.

A Sanbra era uma empresa internacional, fazia parte do grupo Bunge e trabalhava com soja, milho e alimentos processados. Era uma potência, tinha uma bela fatia do mercado no varejo. O número de produtos e marcas para administrar nas prateleiras era considerável: óleos Salada e Primor, margarinas Delícia, Primor, Mila, Flor, todos bastante conhecidos.

Fui admitido como auxiliar de promotor de vendas. Passei um tempo visitando todos os supermercados da cidade – Vasques, Paes Mendonça e algumas redes menores – limpando e arrumando produtos nas prateleiras. De novo eu não sabia nada, mas observava e queria aprender. Inventei de arrumar as caixas de outro jeito, para deixar as prateleiras mais atraentes. Todo animado, fiz pilhas bonitas, no fim do ano cheguei a fazer árvores de Natal de caixas de sabão empilhadas.

Os funcionários das lojas não gostavam muito, mas os gerentes sim. Fazia diferença, chamava a atenção dos clientes. Pouco depois fui promovido a promotor júnior, depois promotor sênior e chefe da promoção. Eu era simpático, cumprimentava a todos, levava o trabalho a sério. Ia barbeado – aprendi a lição do primeiro dia – e, conforme fui entendendo como as lojas funcionavam, ajudava os donos a melhorarem a disposição dos produtos para venderem mais.

As coisas foram melhorando para mim, pude até usar uma kombi da empresa, bem velhinha, é verdade, mas não precisava mais ir de ônibus às lojas.

Conheci muita gente e três anos depois fui fazer faculdade de economia. Foi quando o Tourinho me chamou e perguntou:

– Tuca, quer morar no Recife?

– Fazer o que no Recife?

– Você vai ser promovido a vendedor substituto.

É lógico que aceitei. Não podia recusar o desafio.

Ajuda-me para que o fim do caminho seja para mim o começo de uma nova vida.

Oração a São Tiago

6
De volta ao Caminho

Mansilla de Las Mulas, Espanha
12 de agosto de 2007

Eu tinha planejado dormir em El Burgo Ranero, a dezenove quilômetros de onde tinha partido. Cheguei cedo demais, por volta das dez e meia da manhã, ainda com muita disposição. Então decidi caminhar mais dezessete quilômetros até Mansilla de Las Mulas.

Ainda não tinha dado cinco da tarde quando cheguei ao Albergue Central, mantido pela Asociación de Amigos del Camino de Santiago de Mansilla. Minha aparência não devia ser das melhores, pois um sujeito sentado num canto da sala olhou para mim e, parando por alguns instantes de massagear os ombros de outro peregrino, perguntou:

– Donde está lastimado?

– Nessa parte da cintura, dói tudo! – apontei. De fato, depois de trinta e seis quilômetros de caminhada no mesmo dia, todo o corpo doía e a mochila parecia pesar uma tonelada.

– Espera un poco.

Lobo, o hospedeiro, era um italiano que dedicava parte do seu tempo a receber bem os peregrinos. Graças à atenção que dedicava a todos, passou a ser visto como uma espécie de curandeiro. Suas mãos mágicas amenizavam o sofrimento das dores de muitos que chegavam ali. Comigo não foi diferente. Ele pegou em minha nuca e apertou um ponto durante uns cinco minutos. Pouco tempo depois, as dores já não me incomodavam mais. Aquilo me impressionou, é óbvio. Depois disso ficamos amigos.

Essas coisas são muito comuns no caminho. Tem muita gente que se dedica a cuidar dos peregrinos, ajudando aqueles que enfrentam dificuldades. Ora como guias, informando os melhores atalhos, ora como enfermeiros e médicos, outras vezes como hospedeiros, eles ajudam pelo prazer de ajudar.

Três anos depois de completar minha primeira caminhada, lá estava eu de volta à Espanha. É difícil explicar. Se na primeira vez a decisão de ir a Compostela surgira do nada, de uma conversa com amigos, dessa vez claramente uma força superior me empurrou a refazer o trajeto.

Agora, o caminho seria mais longo, 380 quilômetros de Sahagún, na província de León, até Santiago de Compostela.

Com mais experiência, procurei me preparar melhor. Três meses antes da viagem, comecei um treino físico mais consistente. No Recife, por diversas vezes percorri a pé desde o bairro de Monteiro, zona norte da cidade, até Candeias, extremo sul da vizinha cidade de Jaboatão dos Guararapes.

Minha mochila agora tinha alças com engate para apoiá-la na cintura. Isso faz uma grande diferença, mas só percebi quando vi outros peregrinos com mochilas "amarradas" ao corpo. Nos pés, uma bota especial para caminhadas em terreno irregular, que protege os ossos e articulações dos impactos excessivos. Roupas, absolutamente só o indispensável, ou seja, duas blusas, duas bermudas, um casaco, uma camisa reserva e duas meias. A cada parada, lavava a roupa usada, que secava durante o trecho percorrido no dia seguinte. Foi assim até chegar a Compostela.

Quando decidi voltar, minha família não ficou tão surpresa quanto três anos antes. Meus amigos no princípio duvidaram, depois acharam que eu estava querendo fazer gênero. Só acreditaram quando expliquei quanto o caminho me fizera bem.

A viagem, dessa vez, foi mais focada, eu já sabia o que ia encontrar na Espanha. Após desembarcar em Madri, percorri de trem os 322 quilômetros até Sahagún, meu ponto de partida. Ali é a convergência entre duas conhecidas rotas de peregrinação, o caminho madrilenho e o francês. Cheguei no sábado, 11 de agosto, às quatro e meia da tarde, e fui até o albergue. O quarto tinha umas setenta camas ocupadas por gente de todas as idades e das mais diferentes nacionalidades. Ainda assim, consegui dormir bem.

Três dias depois já tinha passado pela bonita cidade de León, com sua catedral em estilo gótico, e pernoitado em San Martín. O albergue até que era novo, tinha sido fundado seis meses antes, mas não deu para dormir absolutamente nada: um peregrino roncou a noite toda.

No dia seguinte, 15 de agosto, era o feriado de Santa María Madre de Jesús e o país parou completamente. Deixei o albergue bem cedo, caminhei oito quilômetros até Órbigo, tomei um suco e continuei até Astorga, mais dezesseis quilômetros. Em virtude do feriado, o clima era de festa.

Essa é uma região de morros suaves, campos verdes, mas com poucas árvores e longas vistas. É um bom lugar para meditar, mas às vezes fica monótono atravessar aqueles campos tão planos.

Em Rabanal um monge beneditino informou que aquela noite seria a mais fria do mês até então, e que também haveria mais uma festa religiosa, a de São Roque. De lá a El Acebo, onde pretendia dormir, caminhei até o fim da manhã. Decidi, então, esticar até Ponferrada, mas me arrependi, cheguei exausto ao cair da tarde e precisei ir dormir logo em seguida.

A partir dali, iria rever os lugares da primeira peregrinação. O clima agora estava muito mais camarada, meados de agosto é fim do verão na Espanha. Já em Villafranca del Bierzo, fiquei no Albergue Ave Fénix do Jesús Jato, mas fui visitar o Hostal Comercio, aquele prédio com mais de 500 anos de existência. Fiquei triste ao ver que a hospedaria onde tinha ficado três anos antes estava desativada e com uma placa de "vende-se" na fachada. Lamentei e fiquei fantasiando como seria contada a história daquele recanto dali a um século.

Vivi um momento de muita alegria em Vega de Valcarce. Escaldado com o sofrimento que é chegar até o Cebreiro, optei por descansar nessa cidade, adiando para o dia seguinte a subida de onze quilômetros. Eram onze e meia da manhã quando entrei no Albergue Nossa Senhora Aparecida, um lugar onde só tem brasileiro. Itabyra, o compatriota dono do estabelecimento, abandonou tudo o que tinha no Brasil para se tornar proprietário da casa de acolhimento. Vez por outra, alguns brasileiros esticam a estada lá por vários meses, alojando-se em troca de serviços de apoio. É um lugar ótimo para conversar, a gente se sente muito bem mesmo.

Já no Cebreiro, dois dias depois, a maior dificuldade que enfrentei foi levantar antes do nascer do sol com o termômetro marcando -1 grau, com chuva e ventos fortes. Só consegui sair depois das sete horas. Havia uma neblina tão espessa, que eu não enxergava nada a mais de dois metros de distância. Foi duro descer até Triacastela, mas consegui chegar pouco depois do meio-dia.

O tempo mudou naqueles dias, a chuva e o frio deram as cartas.

Fui passando pelas cidades, vilarejos e igrejas já conhecidos: Sarria, Portomarín, Palas Del Rei, Melide, Arzúa, Pedrouzo, Lavacolla. E mais uma vez fui tomado por pensamentos e descobertas. A umas tantas olhei para minha mão e vi um dedo mais torto que outro. Disse para mim mesmo: "Tuca, olhe como os seus dedos são diferentes. Por que as pessoas têm que ser iguais a você? Por que elas têm que dar a você o que elas não podem dar?".

SONHO ESTRELADO

Eu mudei completamente quando voltei. Antes eu achava que todo mundo podia – e devia! – fazer as mesmas coisas que eu faço, com a mesma rapidez. Hoje eu sei que cada um é diferente e faz o que pode. Não sou mais tão impaciente nem tão exigente. E isso veio ao olhar para minha mão aberta, na minha frente, numa pausa no caminho.

Voltei diferente também em relação à minha família. Antes, eu pensava só no trabalho, no dinheiro, em fazer o que eu queria fazer. Eu tinha o sonho do milhão de dólares, então deixei minha família de lado. Trabalhava de dia e de noite, viajava, abria mercado, ia atrás de clientes, não tinha vida.

O Caminho me mudou, voltei outro homem. Comecei a dar mais valor à minha família, a ir às festas de escola da minha filha, passar o fim de semana com minha esposa e minha filha, sair mais com elas.

Entendi melhor o que é uma família. Comecei a recusar trabalho no fim de semana e só ficar na companhia delas.

Entendi também o que importa de verdade. Já era a segunda vez que estava ali, caminhando dias e dias com tão pouca coisa na bagagem, para que precisava de tanta coisa na vida? Eu estava tão bem ali.

Cada dia que passei lá aprendi uma coisa nova.

Finalmente, no dia 27 de agosto, cheguei mais uma vez a Santiago de Compostela.

O imenso pátio à frente da Catedral dessa vez parecia uma grande festa, vários grupos de peregrinos e turistas se confraternizavam. A cena me fez experimentar uma alegria diferente. Uma emoção renovada e a certeza de que minha vida estava intimamente ligada a Compostela.

Como agradecimento, mais uma vez orei por quase uma hora na catedral de Santiago e agradeci a Deus. Melhor que estar vivo era poder encontrar a mim mesmo em momentos iluminados como aquele, concluindo mais uma caminhada.

*O primeiro passo na busca da felicidade
é o aprendizado.*

Dalai Lama

7
Aprendo a ser vendedor

Recife, Pernambuco
12 de setembro de 1978

— Baiano, pega essas cobranças e vai lá em Rolim resolver esse negócio. Já passou do tempo – mandou meu chefe Daniel.

Desde a minha chegada ao Recife, em agosto de 1978, me dedicara a fazer benfeito tudo o que fosse de minha responsabilidade. Nem sempre as missões eram as mais fáceis.

Daniel Wanderley era o gerente de distrito da Sanbra, era a ele que eu me reportava. Eu não entendia nada de cobranças, mas, como dizem, obedece quem tem juízo. Naquela terça-feira à tarde, peguei o fusquinha da empresa e fui até o centro do Recife. Estacionei o mais próximo possível da rua Tobias Barreto, na época repleta de atacadistas. Conferi o número e, chegando lá, encontrei um senhor ao lado da porta principal. Em pé, de braços cruzados e cara de poucos amigos.

— Boa-tarde! O senhor Rolim está?
— Quem quer falar com ele?
— Diga que é o Tuca, cobrador da Sanbra.
— O senhor Rolim está viajando. Só vai chegar sexta-feira.

Agradeci, peguei o carro e voltei para a empresa.

Quando escutou meu relato, Daniel quase explodiu de raiva:

– Como não está aqui no Recife? Você *tá* doido?! Falei com ele faz pouco tempo.

Pegou-me pelo braço e disse:

– Vamos até lá!

Mal chegamos e aquele senhor que estivera parado na porta olhou para Daniel e debochou:

– *Danié*, quando vier me cobrar, mande sempre esse rapaz. Ele é muito bonzinho!

Pense numa humilhação! Foi a minha vez de quase estourar de raiva. Mas funcionou como uma grande lição. Nunca mais me identifiquei como cobrador de empresa nenhuma.

Quanto ao Rolim, apesar da minha ira momentânea, tornou-se um grande amigo. Em dezembro daquele mesmo ano, eu já estava tomando uísque em sua casa com um grupo restrito de convidados em seu aniversário. A amizade perdura até hoje e inclui seus filhos, seguidores dos negócios da família no setor atacadista.

A minha chegada à Sanbra no Recife não foi fácil. Certos de que estavam diante de um espião do Tourinho, o diretor regional de Salvador e meu antigo chefe, a equipe comercial me tratava com muita frieza.

Inicialmente, minha função era a de vendedor substituto. Cada vez que um vendedor entrava em férias, eu o substituía. Como a equipe atendia os estados de Alagoas ao Rio Grande do Norte, fiquei conhecendo bem todas as praças ali. Era também muito comum me mandarem fazer cobranças como aquela à empresa de Rolim. Por essa razão, nos primeiros anos viajei bastante por essa parte do Nordeste.

Nos três primeiros meses de estada, a empresa me deixou hospedado no Hotel do Sol, em Boa Viagem. A partir daí, tive que procurar um lugar para morar por minha própria conta.

Orientaram-me a procurar, no mesmo bairro, o edifício Holiday, um prédio com apartamentos muito pequenos, "indicado para jovens solteiros", como alguém me falou à época.

Logo percebi que tinha entrado numa grande roubada. O prédio, apesar do estilo arquitetônico moderno, muito marcante no bairro, era moradia de prostitutas, cafetões e travestis. A fama só não era tão ruim quanto o ambiente nos corredores.

Bateu uma saudade danada da mansão de Anastácio e Sílvia, em Salvador, das mordomias, da piscina. Aquilo é que era vida. Para me deixar ainda mais triste, o clima na empresa só piorava. Sofria quando percebia que as pessoas mudavam a conversa ao me verem chegar. Sentia-me muito sozinho.

Em uma daquelas tardes, fui bater no Largo de Afogados, área tradicional de comércio do Recife. Entrei na bonita Igreja de Nossa Senhora da Paz. Chorei e rezei por meia hora, pedindo ajuda a Deus. Estava muito fragilizado, sem saber como suportaria aquilo. Ao sair da igreja, vi um pedaço de jornal no chão, exatamente na porta de entrada. Não sei por que, mas tive o impulso de pegar aquele papel amassado. Encarei o que li como uma mensagem divina. Nos classificados vi o anúncio: "Vaga para rapaz solteiro, fino trato, quarto com dois beliches". Um calafrio percorreu minha espinha, recomecei a chorar, agradeci e corri para o carro.

Toquei imediatamente para a avenida Conselheiro Aguiar, também em Boa Viagem. Chegando ao endereço do anúncio, apertei a campainha e apareceu um senhor apenas de bermuda, sem camisa:

– Vim aqui por meio deste anúncio – mostrei o pedaço de jornal a ele.

– Pois bem, temos aqui uma vaga realmente, mas as outras três já estão ocupadas.

Bira, apelido de Ubiratan, morava naquela casa com sua mulher. Na mesma hora percebi que o ambiente era dos melhores.

– Veja bem, alugamos apenas a vaga. Não servimos nenhuma refeição – frisou o Bira.

– Tudo bem – respondi sem vacilar. – Agora tem uma coisa: só posso pagar no fim do mês, pois já antecipei o aluguel de um apartamento num prédio aqui no bairro. Estou indo para lá agora desfazer o contrato. Pode ser?

Acho que o Bira também foi com a minha cara. Sorte a minha. Corri para falar com a proprietária do imóvel no Holiday, dona Elda. Para não constrangê-la falando mal do seu apartamento e do edifício, inventei uma história de que não tinha me adaptado ao Recife e voltaria para Salvador.

– Que pena, você me pareceu um rapaz muito bom...

Com muito esforço consegui me desvencilhar da obrigação. Como já tinha adiantado o primeiro mês de aluguel, fiquei completamente duro até receber o próximo salário, mas continuei morando em Boa Viagem, perto da praia, num bairro de que já gostava.

No dia seguinte, juntei todas as minhas coisas, que cabiam em uma mala de mão, e fui para a minha nova morada. Lá chegando, me instalei na parte de cima de um dos beliches. À noite conheci meus novos colegas de quarto, dois estudantes vindos do interior do estado e um alagoano, este mais vivido, que trabalhava como contato publicitário da Rede Globo.

A mudança deu novas cores à minha vida, os quatro meses seguintes foram maravilhosos. Meus colegas circulavam bastante pela cidade e conheciam muitas pessoas. Comecei a ter vida social no Recife, eu entrava com o carro e os rapazes com as amizades. Finalmente voltava a sentir alegria e isso me deu novo alento.

Uma semana depois, retornei a Afogados para agradecer a Deus e a Nossa Senhora da Paz por tudo o que tinha acontecido. Sentei, rezei e, emocionado, ali mesmo fiz uma promessa: se um dia viesse a me casar, eu o faria naquela igreja. Durante os anos seguintes, sempre no dia 23 de dezembro, retornei com a minha família para uma oração de agradecimento por tudo de bom em nossas vidas.

Eu acredito muito na gratidão. Quando você agradece pelo que fizeram a você, no dia seguinte as coisas se abrem. É meu hábito tanto pedir com fé quanto ser grato pelo que recebo.

Os três anos seguintes foram de muito trabalho. Cada vez que substituía um vendedor, aproveitava a oportunidade para conhecer novos clientes da Sanbra e fazer amizade com eles. Como tantas vezes em minha vida, Deus deu um empurrãozinho para que tudo se encaixasse.

Estava em Maceió para substituir um vendedor, morando no primeiro andar de um prédio. Um colega chegou e buzinou para que eu descesse. Pus a cabeça para fora da janela e assobiei, gritando em seguida que já estava indo. Justo naquele momento passava pela calçada Reginaldo Mendonça, que era diretor do Grupo Bompreço em Alagoas.

Quando fui visitá-lo para vender os produtos da Sanbra, ele se lembrou de mim e do assobio, achando meu jeito engraçado. Aquilo quebrou o gelo e ficamos logo amigos. Anos mais tarde, esse homem teria uma grande importância nas mudanças de rumo da minha vida e dos negócios.

Finalmente, fui promovido à função de vendedor, com minha própria região para trabalhar.

A Zona da Mata de Pernambuco é dividida entre norte e sul, tendo Recife no meio. No jargão comercial, a região ao norte da capital era conhecida como "da cachorra", devido à dificuldade de se fazer bons negócios ali. E foi exatamente a Zona da Mata norte que caiu em minhas mãos.

Imitando meu pai, que se acocorava no chão para misturar cimento, com o chapéu de palha enterrado na cabeça, e com toda paciência ia construindo suas casinhas, eu comecei a trabalhar a região.

Fui persistente, falando com todo mundo, visitando direitinho cada lugar, tentando sempre vender um pouco mais. Eu ainda não era tão experiente assim, mas já tinha percebido que vendedor precisa prestar atenção no comprador. Tem uns que já chegam brincando, rindo, e é muito fácil você ficar amigo. Tem outros que são secos, não querem conversa, fecham a cara para você. Com os dois tipos a gente precisa construir um relacionamento. Falar do que interessa a eles, ouvir se têm um problema com a família, conversar mesmo. Precisa ter paciência, não adianta querer passar por cima.

Eu tinha por princípio, além de conversar bastante, oferecer negócios que eram bons para os compradores. Eu sugeria o que achava que ele ia vender, fazia o preço que era bom para mim e para ele. Nunca forcei nada. Com o tempo, todo mundo percebe que você é de confiança e acaba ficando amigo mesmo.

Claro que meu trabalho foi facilitado pelo excelente portfólio da Sanbra, que incluía óleos, margarinas, maioneses e outros produtos bem ao gosto da população.

Algum tempo na "zona da cachorra" bastou para que eu mostrasse que gostava de trabalhar e de ir atrás de resultados. Fui então promovido a vendedor especializado para a cidade do Recife, com muito mais oportunidades. Comecei a atender as grandes redes de supermercados, como Bompreço e Pão de Açúcar, e alguns poucos e grandes atacadistas.

Um amigo vendedor me convidou para conhecer seu novo apartamento em Candeias, no extremo sul da vizinha cidade de Jaboatão dos Guararapes. Aceitei e, no meio da conversa, ele perguntou por que não investia comprando também um imóvel no mesmo prédio no estilo "caixão", ou seja, sem *pilotis*, muito comum no bairro. Animado com a prestação barata, decidi:

– Tá bom, vou comprar um apartamento aqui também.

Desde que deixara o quarto da casa de Bira, já havia morado em outros três lugares. Inicialmente, pretendia apenas investir em patrimônio, mas três meses depois, percebi que seria interessante morar lá. Mudei então para o pequeno apartamento em Candeias. Era mais do que suficiente para mim uma vez que morava só, saía de casa pela manhã e, quando não viajava, só voltava à noite.

Lembro que, certa vez, uma jovem veio falar comigo. Era minha vizinha de prédio e estava preocupada com a onda de arrombamentos no bairro. Falou-me que tivesse cuidado com o meu apartamento, pois percebera que passava o dia fechado e sem ninguém. Agradeci e disse que não havia motivos para preocupação, pois não tinha nada de valioso lá dentro. Além do mais, acrescentei, o meu apartamento é guardado por São Judas Tadeu. Dei mais um "obrigado" e saí para trabalhar.

A vida já melhorara bastante, faltava apenas matar a minha vontade de jogar bola. Resolvi isso me associando ao British Country Club, ponto de encontro de muita gente da elite recifense e onde os sócios se vangloriavam de terem o melhor campo de futebol tamanho oficial da cidade. Era mesmo um ótimo campo, voltei a jogar com regularidade.

Como em Salvador, eu também namorava quanto podia, mas sem criar vínculos muito fortes com ninguém. Meu foco era o trabalho e o meu milhão de dólares! Só que um dia entrei em uma loja no Shopping Center Recife para comprar um biquíni infantil, presente para a filha de um amigo, e fui muito bem atendido por uma jovem que me pareceu familiar. Levei alguns instantes para reconhecer a garota que tinha alertado sobre os arrombamentos na vizinhança e conversamos com muitos sorrisos.

Dias depois, voltei para trocar a peça por outra de número menor. Àquela altura, já olhei de maneira diferente para a moça. Jogamos mais um pouco de conversa fora e perguntei se ela não toparia assistir ao *show* de Gonzaguinha na noite seguinte. Para minha sorte, ela disse que adorava Gonzaguinha, e assim fomos ver o espetáculo.

Terminei um namoro sem consequência que eu mantinha e engatei o relacionamento com Carmen Sylvia, a Caquinha. Foi uma das decisões mais corretas da minha vida. Casamo-nos quatro anos depois e estamos juntos até hoje.

Quando os superiores, marqueteiros ou consultores da Sanbra vinham visitar nossa filial, era comum um vendedor ser indicado para acompanhá-los nas visitas aos clientes ou apenas para ciceroneá-los pela cidade. Ninguém gostava dessa tarefa, considerada por todos da equipe como uma grande perda de tempo.

– Baiano, quinta-feira de manhã vai chegar um consultor lá de São Paulo. Queria que você o acompanhasse em seu carro. *Tô* cheio de coisa para fazer aqui e esses caras tomam um tempo danado da gente. Ainda por cima ele só fala inglês. Resolve essa bronca *pra* mim.

SONHO ESTRELADO

Uruçuca Juvenil.
Estou na frente,
no meio da fila
(eu era loirinho).

Gincana no dia
7 de setembro
em Uruçuca.
Eu sou o de
óculos escuros
bem no centro.

Na mansão de Anastácio no
Rio Vermelho, para onde eu
ia nos fins de semana.

Meu carro de trabalho na Sanbra;
nele, levei Clive Polloc a Maceió.

Na varanda do primeiro apartamento que comprei no Recife, com Caquinha e Bruna.

Shiva e Anastácio comigo em Porto de Galinhas, quando foram me visitar.

SONHO ESTRELADO

Relaxando com Joesley Batista, depois de uma venda importante para o Bompreço, em 1996.

Pescaria no Pantanal com (esquerda para direita) Wesley, Joesley, Harley, Reginaldo Mendonça e um amigo.

Pescaria no Pantanal, depois de um ano de muito trabalho.

Joesley e eu no meu aniversário de cinquenta anos no Recife.

SONHO ESTRELADO

Festa de cinco anos da parceria Tuca-Friboi, comemorada no Country Club do Recife. Da esquerda para a direita: Williams, Joesley, Vitor Hugo Abreu, Marquinhos e eu.

Festa de dez anos da parceria Tuca-Friboi na Cachaçaria Carvalheira no Recife. Da esquerda para direita: Joesley, Rodrigues Júnior e eu.

Na festa de dez anos da parceria Tuca-Friboi. Estou entre Vitor Hugo e Luís Nassif, ao lado de João Carlos Paes Mendonça, Geralda Farias e Ilha.

Na festa de vinte anos da parceria Tuca-Friboi. Da esquerda para a direita: Joesley, Júnior, Eduardo Campos, eu e Wesley.

SONHO ESTRELADO

Da esquerda para a direita: Henrique Meireles, eu e Joesley na mesma festa no Instituto Ricardo Brennand no Recife.

Comemoração dos oitenta anos de José Mineiro. Estou ao lado de dona Flora, o cantor Daniel e Caquinha.

Villafranca del Bierzo, na Galícia, em 2010.

A caminho do Cebreiro, no início da manhã.

SONHO ESTRELADO

Lobo, o hospedeiro em Mansilla de Las Mulas, que faz massagens milagrosas.

Em Monjarim com Tomaz, o último templário.

A famosa cruz de ferro, ponto mais alto do caminho francês.

No Monte do Gozo, última parada antes da catedral de Santiago.

SONHO ESTRELADO

Primeira vez no Caminho, chegada à catedral, em 2004.

No leprosário onde fui voluntário. Ao centro, o irmão Oscar; sentada à esquerda, a irmã Biu.

Fui recebido com carinho quando cheguei, muito emocionado.

Catedral de Santiago de Compostela.

Cruzeiro de Santo Toríbio, no caminho para Astorga.

SONHO ESTRELADO

Depois de um dia de caminhada, o menu do peregrino.

Em todas as paradas eu deixava as botas ao sol.

Chegando a Arzúa: Cabrino, o pequeno caminhante de nove anos que nos acompanhou por algum tempo, eu e minha filha Bruna e Cristina.

Na difícil subida do Cebreiro, em 2007.

SONHO ESTRELADO

Próximo de Hontanas.

Almoço com meu editor Luiz Fernando Emediato.

Amizades feitas no Caminho em 2010: Ana, Pablo, Ricardo, eu e Natália.

Cristo na igreja San Juan de Furelas, na Galícia.

Petrus, o guia de Paulo Coelho, com quem me encontrei por acaso na minha primeira peregrinação.

– Certo, chefe, pode deixar!

Aceitei com um sorriso no rosto, mas a verdade é que também não gostava de fazer esses acompanhamentos. Mesmo assim, nunca fiz cara feia e encarei como parte do trabalho.

Fui então receber Clive Polloc, um holandês alto, de olhos azuis, pele clara e conversa estritamente profissional. No mesmo dia em que chegou, saímos para visitar alguns atacadistas e lojas de maior porte na cidade. Fiquei com ele durante o almoço, e de tarde continuamos as visitas. Já no fim da noite, levei-o para o jantar. Permaneci simpático e apresentei-o a nossos clientes.

No dia seguinte, lá fomos nós de novo, mas, no início da tarde, ele me perguntou se eu poderia ir com ele até Maceió. Falei que não tinha nenhum problema, a única ressalva era meu carro, um fusquinha não muito confortável para a viagem. A empresa tinha um carro maior, uma Belina, que ficava à disposição da gerência para ser usado em ocasiões especiais.

– Vou tentar a liberação da Belina para viajarmos – disse a ele. Liguei para o Daniel, mas o pedido foi negado porque ele ia precisar do carro exatamente naquele fim de semana.

Expliquei isso para o Clive e disse que, se ele não tivesse objeções, sairíamos bem cedo no sábado, mas o jeito seria ir de fusquinha mesmo. Ele topou.

Em Maceió, a programação foi muito parecida com a do Recife. Como eu conhecia bem os clientes, a interação foi boa, sem dificuldades. No almoço, ele foi a um hotel buscar uma paulista que tinha chegado para lhe fazer companhia, uma loira muito bonita. É lógico que não falei nem perguntei nada. Quando a agenda profissional terminou, informei que iria para o hotel em que costumava ficar hospedado, bem mais simples do que aquele em que ele iria ficar. Clive reagiu de maneira enérgica:

— De maneira nenhuma você vai para outro hotel. Peça um apartamento no mesmo hotel onde estou.

Agradeci a solidariedade do consultor. Após me instalar, saímos para jantar e, no dia seguinte, domingo, me despedi. Eu voltaria para o Recife e ele para São Paulo.

Oito meses depois daquela visita, o presidente da Sanbra, Hector Korja, veio ao Recife para uma reunião. Todos da área comercial foram convocados para o miniauditório, pois ele pretendia fazer alguns comunicados importantes. Quando o presidente entrou na sala, adivinhem quem o estava acompanhando? Sim, o Clive Polloc. O holandês cumprimentou-me e, apontando para mim, se dirigiu ao presidente:

— Este é o rapaz de quem lhe falei.

Depois de anunciar algumas novidades operacionais, o presidente apresentou o novo diretor comercial para todo o Brasil: Clive Polloc. Ficamos todos surpresos, ninguém imaginava aquilo, mas minha sorte foi grande: um dos seus primeiros atos foi me promover para supervisor. Agradeci muito a Deus e me joguei com tudo no trabalho. Mais um ano e eu assumi a função de gerente.

O Bompreço, supermercado líder na região Nordeste em meados dos anos 1980, era a grande vitrine da região para todo tipo de produto. Todas as indústrias montavam estratégias para ter suas marcas nas prateleiras da rede e competiam ferrenhamente. Eles eram muito bons e buscavam sempre eficiência nas compras.

Como é natural em grandes empresas, houve movimentação no alto escalão do Bompreço e vi com prazer meu velho conhecido

Reginaldo Mendonça assumir a diretoria comercial no Recife depois de ter passado um bom tempo em Maceió. Naquele momento, tornou-se o homem mais importante no setor de distribuição e varejo no Norte e Nordeste, com o poder de alavancar ou levar à bancarrota um sem-número de empresas. Todos queriam se aproximar dele.

Era uma via de mão dupla, ele também procurava a parceria de empresas líderes para garantir o que o nome de sua rede prometia: bons preços. Grupos industriais como a Sanbra abasteciam as lojas sem falha, e o Bompreço retribuía com aquisição de volumes consideráveis. Eu já trabalhava havia algum tempo com o grupo e me relacionava muito bem com o antigo diretor, o José Américo Mendonça (um grande empreendedor, diga-se de passagem), e não tive dificuldades em me adequar às exigências do Reginaldo. Todos eram felizes. Todos lucravam.

Até que, em 1986, o presidente José Sarney implantou o Plano Cruzado, instituindo um controle de preços que de repente congelou preços e salários, como se fosse possível conter a inflação por decreto. Um verdadeiro clima de filme de terror instalou-se no mercado.

Quem viveu aquilo lembra o absurdo, quem não viveu provavelmente não consegue acreditar. De um lado os fiscais públicos faziam o maior *show* na mídia, prendendo fazendeiros de gado, gerentes e donos de lojas que eram pegos como bodes expiatórios por causa de preços aumentados. De outro, boa parte da população, ensandecida e manipulada pelos telejornais, colaborava, participava como "fiscais do Sarney" na função de dedos-duros.

Enquanto isso, uma quantidade enorme de produtos, inclusive os da cesta básica, sumiu das prateleiras porque houve uma quebra repentina no ritmo de produção. O congelamento deixou todo mundo desorganizado, sem fluxo de caixa, a maioria das operações passando a ser à vista.

Na Sanbra não foi diferente, a multinacional ficou com a produção comprometida e reduziu as cotas de produtos dos vendedores. Eu fui contra aquela estratégia, argumentando que não poderíamos deixar de atender nossos principais clientes. Acreditava que a crise era momentânea e que, mais dia, menos dia, o mercado voltaria à normalidade. A muito custo, reconquistei autonomia para administrar a minha cota.

Os produtos que eu vendia, principalmente o óleo de soja, foram os primeiros a desaparecer das lojas.

Cheguei ao Bompreço e pedi para conversar com o Reginaldo Mendonça. Ele me atendeu. Fiquei muito triste em ver o que estavam fazendo com aquele cidadão, até pouco tempo antes tão importante para o mercado.

– Estou sem opções, Baiano. Quase não tem produtos e estão me chantageando muito. Só me vendem se for à vista. Já não sei o que fazer.

Ouvi atentamente e depois falei:

– Chefe, é o seguinte. Você sempre comprou 30% da minha cota. E vai ser assim que nós vamos continuar.

– Você está dizendo que vai continuar me fornecendo do mesmo jeito? É isso mesmo que estou entendendo? É verdade? – ele ficou bastante surpreso.

– É, chefe, inclusive com os mesmos prazos. A orientação da diretoria é para só vender à vista, mas entrei numa briga lá dentro para defender vocês. Não é numa hora dessas que eu vou deixar de ser seu parceiro.

Eu fiz aquilo porque acreditava que era o certo, porque lá dentro de mim sentia que era justo. Só que, se eu quisesse fazer alguma coisa para garantir a preferência daquele homem poderoso, não podia ter inventado nada melhor. A partir daquele dia Reginaldo Mendonça passou a me ver como aliado. Entre 1986 e 1989, só fizemos crescer. Foi um período excelente para mim e para a minha área na Sanbra.

Em quatro anos de namoro com Caquinha, marquei casamento pelo menos sete vezes. Eu fugia, arranjando motivos para o adiamento, qualquer coisa justificava um cancelamento: viagem de negócios, conserto de automóvel. Ela, percebendo que, se dependesse de mim, a coisa iria demorar muito, deu uma prensa, praticamente se instalando em meu apartamento. Até que, em setembro de 1986, cumpri minha promessa e, na Igreja Nossa Senhora da Paz, no bairro de Afogados, celebramos a nossa união.

Na empresa, algumas novidades. Uma reforma estrutural transformou a filial no Recife em uma empresa de distribuição, embora pertencente ao mesmo grupo. Passei, então, a trabalhar para a Disbra.

O cargo de diretor comercial da região foi assumido pelo senhor Rabelo. Certa ocasião, ele me chamou e disse quase em desespero:

– Tem uma cota pendente de produtos que precisam ser comercializados ainda nesse fim de mês. Quero sua ajuda. Se não vendermos, vamos ter demissões aqui na empresa, além de comprometer o balanço anual da região.

– Tudo bem, chefe, tem alguma condição especial?

Eu vendia entre 50 e 60 mil caixas de margarina por mês, ele tinha um excedente de 130 mil caixas. Minha tarefa seria vender tudo aquilo, podendo dar até 7% de desconto, quando o normal era apenas 4%. Corri para meus principais clientes e só precisei de dois dias para escoar o excesso. Melhor, nem precisei usar toda a margem de descontos.

O Rabelo ficou imensamente grato e quis me oferecer um presente. Falei que não precisava. Ele insistiu. Ganhei então uma viagem com Caquinha para o Rio de Janeiro para assistir ao grande prêmio de fórmula 1, com todas as mordomias, o que foi uma delícia e deixou minha mulher muito bem impressionada.

Apesar disso, minha vida na empresa não era um mar de rosas. Nunca consegui digerir muito bem o clima de disputas internas com todos contra todos, uma competição danada, um ambiente de poucos amigos. Lá no fundo batia aquele sentimento de que aquilo não era tudo o que eu podia fazer. Eu tinha um sonho, ou melhor, dois. Não só o milhão de dólares como também o de ser um empresário antes dos quarenta anos. Eu não tinha muito tempo.

Por diversas vezes, dei a entender aos meus superiores que gostaria de ser afastado. Por temer ações trabalhistas, a empresa, por sua vez, preferia manter um funcionário – mesmo que insatisfeito – a demiti-lo.

Olhei para dentro de mim, tomei coragem e pedi demissão em outubro de 1989. Eu não tinha nada, só a fé, a certeza de que o que eu queria iria se realizar. Aproveitei o fluxo de mudanças e tomei outra decisão impactante na minha vida: abandonei o hábito de fumar as duas carteiras de cigarro por dia. A saúde e a autoestima agradecem até hoje.

Antes de concretizar a demissão, fui falar com Reginaldo Mendonça. Estávamos bem camaradas, nos encontrando em feiras do setor por todo o país, na Associação Brasileira dos Amigos do Vinho e em reuniões sociais de amigos em comum. Ele sempre me dedicou atenção, pela qual sou grato até hoje.

— Reginaldo — falei —, estou decidido a deixar a Disbra e montar uma empresa de representação.

Na hora, ele retrucou:

— Baiano, veja bem, você está numa das maiores empresas do mundo, bem posicionado, prestigiado, cotado inclusive para assumir a regional. Pense bem nisso. Lembre-se: representante não é dono.

— Chefe, esse é o meu sonho. Eu aprendi a trabalhar para os outros. Agora, quero trabalhar para mim mesmo.

Vendo que eu estava decidido, ele disse:

— *Tá bem*. Conte comigo. No que eu puder, vou ajudar.

Saí da empresa com o pouco dinheiro da rescisão, quase nada. Não tive direito a indenização, já que a decisão de sair tinha sido minha. Os primeiros dias foram de muita apreensão.

"O que vou fazer sem dinheiro e sem produtos para vender?", eu remoía sem parar.

Em um fim de tarde daqueles dias, minha esposa, que era estagiária em psicologia da Microlite, indústria das pilhas Rayovac, perguntou com muita firmeza na voz:

— Ué, cadê aquele sujeito destemido que dizia conseguir tudo pela força do trabalho? Vamos lá, neguinho, arregace as mangas e vamos *pra* luta que você vai conseguir!

Foi a injeção de ânimo que eu precisava.

Na Disbra, eu tinha direito a um bom automóvel, um Voyage. Com o dinheiro curto após a demissão, o que deu para comprar foi um fusquinha de segunda mão. Uma bela queda de aparências, senti um pouco de vergonha. No Recife, o carro é o cartão de visitas do profissional. Alguns amigos me acharam maluco, outros tiveram certeza de que eu ia me dar mal.

O fusquinha me deixou várias vezes na rua. Levei-o a alguns mecânicos, pois não entendia nada de carros. Um deles descobriu o problema: o carro era originalmente a álcool, o proprietário tinha feito uma gambiarra para que andasse com gasolina. Ora, na época o motor *flex* não existia nem na ficção científica e o raio do carro não pegava, era um inferno. Fiquei mais apreensivo ainda, um vendedor sem carro não tem como trabalhar.

Naquele tempo de dificuldade, tive ajuda. Naércio Gaião, um bem-sucedido consultor de imóveis que frequentava o mesmo clube que eu, me chamou dizendo que ligara para o meu escritório às três da tarde e ouvira o recado de uma secretária eletrônica. Expliquei que tinha dado uma saída. Dois dias depois, ele me encontrou e avisou:

– Mandei contratar uma secretária para você. Um representante tem que ter uma pessoa para atender. Secretária eletrônica não resolve seus problemas. Não se preocupe, a gente acerta quando você puder.

Ainda sem clientes e nenhum ganho, era assediado a todo instante por advogados trabalhistas que insistiam na ideia de que deveria entrar com uma ação trabalhista contra a Sanbra. Havia uma lei que garantia 1,5% do valor cobrado por vendedores que faziam dupla função de cobradores, procedimento muito comum naqueles anos. Eu mesmo tinha cobrado verdadeiras fortunas para a empresa. Era tentador, mas eu não podia processar a Sanbra. Ao contrário, tinha um débito de gratidão para com eles pelo fato de ter sido lá onde havia aprendido tudo daquela profissão.

Os advogados descobriram o telefone de minha residência e procuraram a minha esposa. Falavam em "independência financeira", ligavam todos os dias fazendo uma pressão enorme. Ora, na pindaíba em que estávamos, essas propostas enchiam os olhos.

Mesmo assim, não cedi. Muitos outros colegas moveram processos e ganharam, mas eu não achava certo. Não me arrependo nem um pouco daquela decisão.

Poucos dias depois, um colega baiano, o Cézar, me ligou dizendo que a Cooperativa Arrozeira Extremo Sul tinha comprado o arroz Princesa.

– Liga para o doutor Ângelo e pede para você representar o arroz aí no Recife.

Assim que consegui essa representação, voltei a respirar. Tenho um carinho muito grande por todos que me acolheram na arrozeira Extremo Sul, principalmente pelo seu diretor, doutor Ângelo Brito, que me deu essa primeira representação.

Após um tempo trabalhando com eles recebi um convite da SLC Alimentos, também do Rio Grande do Sul, e estabelecemos uma parceria comercial que permanece até hoje.

Comecei fornecendo para meus antigos clientes da Sanbra. Praticamente todos compraram um pouco, o bastante para que pudesse recomeçar a vida.

Pouco tempo depois, outro amigo, o Israel, me ligou dizendo:

– Tuca, a Olvebasa está lançando um óleo de soja chamado Predileto. Venha a Salvador e vamos lá ver se consegue representá-lo em Pernambuco.

No dia seguinte eu estava em Salvador. Falei com o diretor, o sr. Max. Ele me disse que no Recife já tinham um represente, o Calmon, filho de um dos diretores do banco que ajudara a Olvebasa. Ofereceu-me o interior de Pernambuco e o estado de Alagoas. Aceitei o interior do estado. Forneceram-me uma cota de 5 mil caixas, que consegui vender em um único dia. Liguei e pedi cotas suplementares. Eles mandaram e garantiram toda a sobra de óleo. Eu vendia, vendia e vendia sem parar. Mas não foi fácil, eu tive que trabalhar muito.

Eu tinha até vergonha de comentar com quem quer que fosse, porque fazia as viagens pelo interior de Pernambuco de ônibus. Minha mulher me deixava no terminal rodoviário, o TIP, e eu pegava o ônibus do Recife para Caruaru. Lá chegando, visitava todos os clientes a pé, de noite eu pegava outro ônibus para Garanhuns, a 200 quilômetros de distância. Chegava lá pela meia-noite, dormia no hotel, e às oito da manhã começava a visitar todos os clientes.

Depois ia para uma cidade chamada Bom Conselho, visitava mais dois clientes, aí voltava para Recife. Saía na segunda e voltava na sexta, tudo de ônibus. Fiz isso por uns três meses, mas eu sabia que um dia eu ia ter um carro bom. E trabalhando eu comprei. Uma Parati a gasolina, que pegava quando eu virava a chave e não me deixava na mão.

Somente três meses depois de iniciar o trabalho com as representações é que decidi ir ao Bompreço. Era uma terça-feira, lembro bem disso. Sabedor da dinâmica dos horários e da movimentação na sala da diretoria comercial, cheguei por volta da uma da tarde. Como eu esperava, não havia ninguém no local, os vendedores iam começar a aparecer uma hora mais tarde. Como era a primeira vez que voltava ali desde a minha saída da Sanbra, levei comigo uma amostra dos produtos que representava.

O que se passou em seguida reforça a crença de que sou muito protegido. Estava sentado esperando quando de repente entra o Reginaldo Mendonça e me pergunta:

– Baianinho, tudo bem? Como vai você? E os negócios, *tão* indo bem?

Pegou-me de surpresa a maneira carinhosa com que me cumprimentou. Fiquei meio sem jeito, mas contei.

– As coisas não estão fáceis, chefe, mas estou começando a criar uma história e tenho fé em Deus que com muito trabalho e dedicação eu vou conseguir.

— Eu te falei que não ia ser fácil. Vamos lá dentro *pra* minha sala *pra* gente conversar.

Queria saber com o que eu estava trabalhando. Apresentei então o arroz Princesa, uma esponja e o óleo, ressaltando que este eu só podia vender para o interior do estado.

Foi quando aconteceu um dos momentos mais marcantes da minha vida profissional. Ele falou:

— Tire um pedido de três mil fardos de arroz.

Ligou para o Jorjão, comprador do segmento de esponjas, e pediu que fosse à sala. Enquanto o comprador não chegava, ele disse:

— Avise ao seu diretor da fábrica do óleo que só vou comprar quando você for o vendedor.

Emocionei-me e caí no choro. Jorjão entrou na sala.

— Jorge, conhece o Baiano?

— Claro, seu Reginaldo, Baiano é nosso amigo há muito tempo.

— Então cadastre essa esponja dele. Vamos ajudar o Baianinho!

Em seguida, como eu não parava de chorar, vi quando ele fez sinal para o Jorge se retirar. Antes de sair, ele bateu no meu ombro e disse:

— Baiano, te aguardo lá na sala, ok?

Tão logo o comprador saiu da sala, me dirigi ao Reginaldo:

— Ok, chefe, posso ir?

— Não. Deixa você se recuperar. Você está muito emocionado.

Momentos como aquele são inesquecíveis, eu vi quanto são importantes as pessoas nas nossas conquistas. Saí de lá felicíssimo com um pedido que seria o grande passo para garantir meu faturamento com o arroz.

Só que a felicidade não durou. Dias depois, ao ver o produto na loja, um sobrinho do Reginaldo procurou o outro tio, o João

Carlos Paes Mendonça, presidente do grupo Bompreço. Este interpelou o Reginaldo, que teve de me informar:

– Baiano, não vou poder comprar o arroz com você. O meu sobrinho é o representante da empresa da qual compro o arroz Princesa. Coisa de família, amigo. Mas não se preocupe que ajudo você mais adiante com outras coisas.

O mundo desabou para mim, mas respirei fundo. Eu tinha nascido na dificuldade, minha cama de menino era um colchão de capim num quarto minúsculo, dividido com meus quatro irmãos. Eu tinha trabalho na veia. Fui atrás de novos clientes e consegui continuar vendendo o óleo.

Poucos meses depois, a diretoria do óleo me ligou pedindo que eu interviesse com o Reginaldo. Perguntei o porquê.

– Precisamos agendar uma conversa com ele. Ligamos e ele não nos atende.

Fui lá explicar a situação para o Reginaldo:

– Pois é, Baiano, esse povo vive me ligando, mas já disse que não tenho nenhum interesse. Estamos muito bem com os nossos outros fornecedores.

Eu insisti. Pedi que pelo menos ele marcasse uma data para conversar com o pessoal, seria uma maneira de eu retribuir a confiança deles ao me nomearem representante para o interior de Pernambuco.

– *Tá bom*, Baiano. Marca então para o dia 28, dia do teu São Judas Tadeu. Não é ele que te ajuda?

Avisei aos diretores da Olvebasa que o encontro estava agendado.

Na manhã do dia marcado, fui buscá-los no aeroporto dos Guararapes. Vieram o vice-presidente e o Max, o diretor comercial. Seguimos para o restaurante Tocheiro, ao lado da sede do Sport Clube do Recife. Ao chegarmos já encontramos o Reginaldo com cara de poucos amigos. Após as apresentações, o Max queixou-se:

– Tentamos falar com você várias vezes e não conseguimos.

– Você sabe quantos itens eu compro? Quantos compradores eu coordeno? Tem ideia de com quantos fornecedores eu falo todo dia? Sabe quantos gerentes de loja me ligam? Sem falar das vezes em que o presidente me chama. Como é que eu vou atender a quem não conheço?

É claro que o clima ficou tenso, o constrangimento estampado no rosto de todos. Para quebrar o gelo, eu disparei uma pergunta padrão:

– E o mercado de óleo, como vai?

– Vocês é que devem saber. Vocês, produtores, é que podem falar sobre esse mercado – Reginaldo não estava para conversas sociais.

Max disse que estava tudo indo bem e perguntou quais eram os fornecedores de óleo do Bompreço. Reginaldo respondeu que comprava óleos da Cargil, Sadia, Sanbra e Ceval. A conversa continuou um pouco mais tranquila até que, lá pelas tantas, o Max soltou de repente:

– O Tuca, a partir de hoje, é o nosso representante de óleo para o Bompreço.

Eu, absolutamente surpreso, vi o Reginaldo de imediato ordenar, sem vacilação:

– Baiano, tire um pedido de 20 mil caixas. Preço de mercado, viu?

Pense num homem feliz. A partir daquele momento passei a ser o maior vendedor de óleo da Olvebasa e minha empresa de representações firmou os pés. As coisas começaram a caminhar como eu sempre sonhara.

Com minhas novas amizades em virtude do aumento da carteira de clientes, percebi que era hora de dar mais qualidade de vida à família. Com algumas economias comprei um terreno numa praia ainda pouco explorada no litoral sul do estado.

Em uma das minhas visitas ao Bompreço para acompanhar as entregas comentei, todo orgulhoso, com Reginaldo:

– Chefe, vou construir uma casa de praia!

– É mesmo, Baiano, e onde é que vai ser essa casa?

– Em Toquinho, chefe. Tenho 40 mil e acredito que já dá para fazer um quarto, cozinha e banheiro. Vou começar pelos fundos. Com o tempo vou ampliando.

– Não faça isso – disse ele com um sorriso. – Toquinho é praia de ricos e você vai virar motivo de chacota entre os seus vizinhos.

Não deu nem tempo de dizer nada, e ele continuou:

– Vou ajudar você a construir essa casa. Ligue *pro* alemão (ele referia-se ao Max, o diretor da Olvebasa) e veja se ele me garante 100 mil caixas mensais durante seis meses.

Na mesma hora peguei o telefone na mesa dele e telefonei para Salvador:

– Max, quantas caixas de óleo vocês produzem por mês?

Ele me respondeu dizendo que era algo entre 280 e 300 mil caixas. Perguntei, então, se ele conseguiria atender aquela nova demanda do Bompreço durante os próximos seis meses, com o preço de mercado.

– Garanto. E tem mais: preço de mercado menos 1%.

Passei o telefone para o Reginaldo fechar o negócio. Mais uma vez, me emocionei naquela sala.

Os meses seguintes foram uma festa. Nunca tinha visto tanto dinheiro na minha frente. Comprei um carro novo para mim, outro para Caquinha, viajamos para a Califórnia, para o Canadá. Vida melhor não poderia ter. E consegui construir uma simpática casa de praia em Toquinho.

Estava na cidade de Barreiras, na Bahia, visitando a nova fábrica da Olvebasa, quando recebi um telefonema do Recife:

– Tuca, sua filha nasceu. Chegou hoje!

Era Bruna que acabara de chegar. O maior presente de Deus para mim e para Caquinha. Era o dia 19 de março de 1993. Eu sempre quis ter filhos e finalmente, e de maneira surpreendente, a nossa família se completara.

Era como se fosse o fim de uma caminhada. Que nada, na verdade era apenas o começo de uma estrada ainda muito maior.

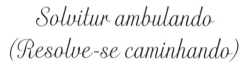

Solvitur ambulando
(Resolve-se caminhando)

Lema dos peregrinos

8
O caminho francês

Saint-Jean-Pied-de-Port, França
21 de agosto de 2012

Transpor os Pirineus seria difícil, eu não tinha dúvidas. Aquela cadeia de montanhas é famosa por apresentar aos peregrinos, que começam o caminho a Santiago de Compostela na fronteira da França com a Espanha, seu maior desafio. Já morreu muita gente ali. A temperatura varia muito, há nevascas e neblina, além da subida interminável e da descida que castiga os joelhos, e que precisam ser feitas no mesmo dia. Considerando que aquela seria a minha quinta caminhada até Santiago de Compostela, me considerava um veterano na peregrinação, mas tinha respeito por aquelas montanhas. Rezei na missa da bênção dos peregrinos, pedindo aos meus santos por força e sabedoria. A igreja estava cheia de gente prestes a se aventurar naquele ritual milenar.

Nos primeiros anos da Era Cristã, cada um dos apóstolos seguiu para uma região diferente para fazer suas pregações. São Tiago, o Maior, foi para a Galícia, no norte da Península Ibérica, hoje pertencente à Espanha. De volta a Jerusalém, no ano 44, foi preso e decapitado. Diz a lenda que seus restos mortais foram levados de volta à Galícia em segredo. O barco teria partido do porto de Jafa, na Judeia, e levado pelo vento soprado por anjos através do Mediterrâneo até o porto de Iria Flavia, hoje vilarejo de Padrón, na Espanha. Perto dali o apóstolo Tiago teria sido enterrado num local secreto. Oito séculos mais tarde um eremita chamado Pelayo teria seguido as luzes e sinais dados pelo céu até achar o túmulo de São Tiago e seus seguidores. O nome Santiago de Compostela é uma junção das duas partes da história: São Tiago e Compostela, de *campus stellae*, o "campo de estrelas" que teria guiado o eremita.

O maravilhoso é que todo mundo acreditou no eremita. O bispo Teodomiro mudou a sede da diocese para o local em honra ao apóstolo, o rei Alfonso II viajou até lá e ordenou a construção de uma capela no local do túmulo, e aos poucos surgiu uma cidade em torno do que mais tarde seria uma catedral.

A notícia espalhou-se por toda a Europa e levas de peregrinos começaram a se deslocar de diferentes pontos até Santiago, em oração, para fazer pedidos e garantir a salvação. Na Idade Média, fazer uma peregrinação era um modo certo de limpar a vida dos pecados e algo visto com muitos bons olhos pela Igreja.

Quem anda por ali sente tudo isso. Dá para sentir a fé das pessoas agora, que continuam fazendo o caminho para orar e fazer pedidos a Deus, e dá para sentir que muitos, muitos outros peregrinos passaram por ali antes de nós. As igrejas são antigas, de pedra, e cheias de imagens de santos com vestes simples. Os albergues ficam em lugares tradicionais de parada dos peregrinos e seguem o costume de oferecer pouso por nada, ou muito pouco, a quem faz o caminho. Há várias fontes de vinho nos vilarejos para dar ânimo aos que passam. Reis e rainhas fizeram o caminho, que foi poupado de ataques durante as guerras. Os mouros chegaram a colocar abaixo a cidade de Compostela, mas a catedral e as relíquias sagradas de São Tiago permaneceram intactas.

SONHO ESTRELADO

De todos os caminhos de Santiago de Compostela, o francês é o mais famoso, começando em Saint-Jean-Pied-de-Port, ao pé dos Pirineus, entrando na Espanha por Roncesvalles e de lá seguindo por cerca de 820 quilômetros até Compostela. Este foi o que escolhi para a minha quinta peregrinação.

Ainda em 2007, após entrar pela segunda vez na catedral de Santiago, depois de percorrer 380 quilômetros desde a cidade de Sahagún, me bateu uma profunda tristeza. Era estranho, mas eu queria continuar caminhando. Voltei para o Recife com aquele desejo no peito. Cheguei a pensar até em adquirir uma pousada no caminho e me tornar hospedeiro, nem que fosse por alguns anos apenas. Sentia que o Caminho fazia parte de mim, que ali eu entrava em contato com o lado espiritual da vida. Foi sempre uma experiência muito forte para mim.

Entrei para a Associação dos Confrades e Amigos do Caminho de Santiago de Compostela e virei um grande divulgador do caminho. Dei palestras, fui a encontros, contei minha experiência e até dei passagens a pessoas que não tinham como ir à Espanha, mas queriam fazer a peregrinação.

Quando contei aos amigos que ia fazer o caminho pela terceira vez, partindo da fronteira da Espanha com a França, muitos caíram na risada. Passar as férias andando centenas de quilômetros parece doideira para quem não sente a mágica dali, mas eu não estava nem aí. Cheguei a Roncesvalles em 11 de agosto de 2010, ano compostelano.

Dessa vez, a caminhada foi muito diferente. Depois de cinquenta quilômetros, em Cizur Menor, conheci um grupo e jantamos juntos: Ricardo, Pablo, Anna e Natália. Cada um tinha um motivo para estar ali: desempregado querendo alcançar a graça de um novo emprego, o outro exatamente para agradecer uma conquista, uma atriz curtindo suas férias, um simples passeio. De repente nasceu uma grande amizade e caminhamos juntos boa parte do percurso, tendo longas conversas em italiano, espanhol e português.

O ano compostelano (ou jacobeu) faz com que aumente bastante o número de peregrinos, fica difícil encontrar lugar nos albergues. Segundo as autoridades espanholas, naquele ano mais de 850 mil peregrinos fizeram o caminho. Dessa vez minha experiência foi muito menos solitária.

Ao chegar ao Cebreiro, encontrei com minha esposa, Carmen, e uma amiga sua, a Cristiane. Tínhamos combinado de fazer juntos os quilômetros restantes. Foi muito agradável ser um guia para as duas, já que aquele trecho eu conhecia bem. Seguimos sem problemas por alguns dias e eu, um mês depois de ter iniciado o caminho francês, mais uma vez meditava na catedral.

Achei que aquela terceira vez encerrava minhas peregrinações, pois estava tranquilo, me sentindo realizado e, pelas leis da igreja católica, tinha obtido indulgência plena. Mas surgiu um fato novo dois anos mais tarde: a chance de caminhar com minha filha.

Bruna tinha passado seis meses na Inglaterra para melhorar o inglês e eu a convidei a me acompanhar até Compostela. Não foi muito fácil convencê-la porque seriam 126 quilômetros, algo duro para quem não fazia muito exercício. Mesmo assim ela acabou concordando. Saí do Recife e ela de Londres para nos encontrarmos em Madri. Lá pegamos um avião até Compostela e, direto do aeroporto, seguimos de táxi para Sarria. Este seria o nosso ponto inicial.

Combinamos que conversaríamos muito durante o caminho sobre temas importantes para nós: como ela nos via como pais, como eu a via como filha, o que esperávamos do futuro e coisas assim.

Foi muito profundo eu e minha filha caminhando sozinhos, longe de nossa casa e de nossa rotina, pelas estradas da Galícia.

Dormíamos juntos nos mesmos albergues, comíamos o cardápio do peregrino, cruzávamos com todo tipo de gente. Ao todo foram nove dias de convivência e diálogo franco. Em dado momento, pedi que ela dissesse com toda a sinceridade qual sua opinião sobre mim e sua mãe. Parados à sombra de uma frondosa árvore, Bruna respondeu:

– Painho, antes de eu nascer, quando eu ainda estava lá no céu, já tinha decidido que você e mãinha seriam meus pais.

Eu fiquei sem fala, abraçamo-nos e choramos juntos. Agradeci muito a Deus e a São Tiago por aquele momento. Só aquela declaração já compensava toda a viagem.

Garanto que nenhum pai ou filho irá se arrepender de uma caminhada juntos. Sugiro sempre a meus amigos que deem um tempo no corre-corre diário e programem uma pausa para ficar a sós com seus filhos, caminhando e conversando.

Na chegada a Compostela, Bruna perguntou:

– Painho, por que você não aproveita sua experiência e escreve um livro falando sobre a peregrinação a Santiago? Conte a sua vida, fale sobre o seu trabalho.

Achei boa a ideia, mas quis antes fazer o verdadeiro caminho francês, começando em Saint-Jean-Pied-de-Port.

Nesse meio-tempo, surgiram três grandes problemas, um no trabalho, outro com a minha filha e um terceiro em casa. Sem conseguir resolvê-los, levei três pedras na minha peregrinação seguinte. Quem sabe São Tiago não ajudaria? É uma tradição que peregrinos deixem pedras representando seus problemas ou seus pedidos aos pés da cruz de ferro, ponto mais alto do caminho francês.

Após concluir a rota jacobeia em 2012, de retorno ao Recife, tudo estava praticamente resolvido. Não há como não sentir a bênção do caminho!

No aeroporto de Madri, é fácil ver quem chega ou terminou uma caminhada. Mochila nas costas, botas, cantil, um olhar especial. Enquanto aguardava o embarque para Pamplona, uma mulher aparentando uns sessenta anos me fitava insistentemente. Fiz de conta que não percebi, mas entramos no mesmo avião. Na descida após o voo, ela se aproximou e me perguntou se eu era brasileiro. Com a afirmativa, ela continuou querendo saber se eu ia fazer o caminho e de onde começaria. Minhas respostas eram secas, mas ela insistiu:

– Como você vai até Saint-Jean?

– Táxi.

– Podemos dividir, então...

Elvira, cearense de nascimento, desde criança morava no Rio de Janeiro. Bastante envolvente, logo arregimentou mais duas pessoas, ambas capixabas, para dividir o táxi e reduzir as despesas do grupo. Enquanto os outros dois passageiros desceram em Orisson, oito quilômetros antes, nós continuamos até Saint-Jean e procuramos um albergue. Não houve como resistir, ficamos amigos. Após fazermos nossa inscrição, fomos até a catedral assistir à missa do peregrino. Conversei um pouco com os padres após a celebração. Depois, fomos eu e a Elvira comer uma pizza num pequeno restaurante na praça central da cidade.

Começamos o caminho juntos, mas nos separamos porque ela ia mais devagar. Mais tarde voltamos a nos falar no Brasil, e ela me contou que, logo após nos despedirmos, sofreu uma queda e ficou toda dolorida. Mesmo assim concluiu todo o trajeto. Só após uma radiografia no Rio de Janeiro é que ficou sabendo que tinha fraturado um osso da perna. É impressionante como o caminho puxa a gente, Elvira andou mais de 700 quilômetros com a perna quebrada!

"Não se brinca com os Pirineus", é o que dizem. São apenas vinte e quatro quilômetros de Saint-Jean-Pied-de-Port até Roncesvalles, mas o trecho é famoso pelos acidentes, muitos fatais. A gente sai de uma altitude de 233 metros e sobe até 1.480 metros em Collado Lepoeder. Subida que requer esforço desumano, em geral com muito vento e frio. O mais difícil vem depois: apenas quatro quilômetros de uma descida muito mais íngreme que a subida. As pernas doem, a cara congela, é um sofrimento. A chegada a Roncesvalles mais parece a chegada ao paraíso. Aí se vê a placa: "Santiago a 790 quilômetros".

Eu já era um peregrino veterano, mas esse início foi dureza. A partir dali, passei pelos lugares que já conhecia: as províncias de Navarra, La Rioja, Burgos, Palência e León, até finalmente chegar à Galícia.

Ao longo de toda a rota, há inúmeras casas de apoio ao peregrino e a maioria das pessoas que faz o caminho costuma ficar nelas. São lugares simples, de quartos compartilhados, onde todos conversam e partilham informações, alimentos e vinho. É muito gostoso, dá uma sensação de acolhimento chegar cansado e sentar à mesa com outros peregrinos.

O dia começa muito cedo nos albergues: a partir das cinco horas já saem os primeiros caminhantes seguindo as placas do roteiro, e lá pelas nove da manhã os albergues costumam fechar para limpeza, voltando a receber gente à uma da tarde. Dependendo da época do ano, vale a pena programar-se para não chegar muito tarde, pois lotam.

Ali entram apenas os peregrinos tradicionais, ou seja, aqueles que estão fazendo o percurso a pé, de bicicleta ou a cavalo. Grupos com mais de dez pessoas ou turistas curiosos pelo caminho têm que buscar outros locais de hospedagem.

Após dez da noite, a regra é fazer silêncio. Geralmente, eu ia dormir bem mais cedo que isso e era também um dos primeiros a acordar, tomando cuidado para não fazer barulho. Arrumava sempre a minha mochila fora do quarto para não acordar ninguém. Esses quartos coletivos são, aliás, um pouco problemáticos, aprendi, já na primeira vez, que convém se proteger dos roncos com protetores auriculares. É bom levar sempre pelo menos dois pares!

As pessoas que tomam conta dos albergues são chamadas de hospitaleiros e costumam ser personalidades interessantes, com quem vale a pena bater um papo. Perto de Santo Domingo de La Calzada, província de Burgos, por exemplo, o brasileiro Acácio é um hospitaleiro famoso. Ele é dono de um albergue em Viloria de Rioja, vilarejo com menos de cem habitantes. Na minha terceira peregrinação, eu tinha conversado longamente com ele sobre comprar um albergue e ficar por ali dando apoio aos peregrinos, tão encantado estava com a magia do caminho. Depois que pesquisei um pouco o assunto, percebi que era um sonho romântico e que havia bastante especulação em torno desses imóveis, infelizmente.

Dessa vez eu tinha acabado de chegar a Santo Domingo e estava num bar para tomar café. Tinha tirado as botas para relaxar os pés – como sempre fazia em todas as paradas – quando ouvi um grito:

– Baiano?

Quando olhei era o Acácio. Abraçamo-nos e conversamos muito, ele é daquelas pessoas que mesmo sem encontrar muito eu guardo no coração.

A experiência dos hospitaleiros é fundamental para os milhares de caminhantes que aparecem nos albergues com todo tipo de problema, a maioria com dores nos pés. Em Cizur Menor, praticamente no começo do caminho, a Maribel, dona de um albergue que é um verdadeiro paraíso, me ensinou a cuidar de pés doloridos: colocando-os num balde com gelo, água, sal e vinagre. É inacreditável, mas após dez minutos as dores passam.

Em Puente La Reina me encontrei com um grupo de brasileiros: o Cal, e suas duas irmãs; o Alexandre, pernambucano residente em Brasília; o Lucas, corintiano roxo; e o Cadu, jovem paulista. Jantamos todos na mesma mesa, foi muito animado. Na manhã seguinte, apenas o Cadu e o Lucas acordaram cedo. Caminhamos juntos por vários dias, nosso ritmo combinava. Foi uma amizade da boa que nasceu daquele encontro. O Lucas tinha acabado de sair de um grande prejuízo com o seu restaurante em Campinas, interior de São Paulo. Após um incêndio, perdeu tudo. O caminho foi sua fuga para dar uma arrumada na cabeça e encontrar ideias para recomeçar a vida. O Cadu, por sua vez, ficara órfão do pai recentemente. Era o seu grande ídolo, ele estava em processo de luto. Tive oportunidade de revê-los em São Paulo mais de uma vez, é sempre um prazer encontrá-los.

Conheci alguns albergues paroquiais muito bonitos. O de Granon fica no alto de uma torre da igreja, é preciso subir até o alto para chegar num espaço muito acolhedor, de piso de madeira e lareira no canto. Após o jantar, passamos por uma porta e somos convidados a fazer uma oração. Cada um dos presentes reza uma parte do Pai-Nosso em seu próprio idioma. É muito emocionante ouvir tantas vozes dizendo juntas a mesma oração.

Em Tosantos, o carinho dos hospitaleiros Belén, Antonio e principalmente o Zé Luiz, garante a magia daquela parada. Com os colchonetes e as mantas espalhadas no assoalho, é um dos mais carismáticos pousos de todo o roteiro. Lá é proibido se levantar antes das seis, o que garante um bom sono para todos. Nos albergues de igreja não se paga nada, os próprios peregrinos ajudam a preparar o café e contribuem com o que podem. Há, inclusive, uma caixa para doações com um aviso: "Deixe o que puder, pegue o que precisar"!

O caminho é todo marcado por igrejas, algumas bem grandes, trabalhadas, muito impressionantes. A que mais me encantou foi a de Navarrete, com um altar todo talhado e recoberto de ouro. Lembra um pouco as igrejas barrocas da Bahia. No albergue bem ao lado conheci Lola, uma espanhola hospitaleira de apenas onze anos de idade.

Na igreja de San Juan de Furelas, já na Galícia, tem uma imagem de Cristo bastante diferente, que é uma das curiosidades do caminho, com apenas um braço pregado na cruz. Conta-se na região que, há muitos anos, um padre colocou sua cadeira debaixo desse crucifixo para ouvir confissões. Ajoelhou-se um homem que confessou muitos pecados, mas dizia estar arrependido. O confessor, no entanto, disse que não podia perdoar tantos e tão graves pecados. Naquele momento o braço direito do Cristo desprendeu-se da cruz, pousou na altura do ombro do penitente e uma voz se fez ouvir: "Padre, se você não pode perdoar, eu posso. Você não passou três horas pregado na cruz, não derramou todo o seu sangue e nem morreu por ele. Mas eu fiz tudo isso. Perdoa-lhe, assim como eu perdoo".

Ao longo dos 800 quilômetros, a paisagem muda muito. A região de Burgos é plana, com longos trechos de campos sem nada, nem casa, nem igreja, nem morro nem povoado. De Burgos até Hontanas são só dez quilômetros, mas parece muito mais, por causa dessa falta do que ver. Em Boadilla del Camino, o albergue é comandado por Dudu, brasileiro de Campinas que morou um tempo na Bahia, uma simpatia. É um refúgio aconchegante com um jardim muito bem cuidado no meio, muito bom para descansar. Dali o caminho acompanha, por um trecho, a rodovia e o lindo Canal de Castilla, construído entre os séculos XVIII e XIX.

Em Monjarim conheci o Tomaz, que se declara o último templário e é um sujeito todo místico. Veste roupas com símbolos medievais e seu albergue parece um museu, cheio de coisas da Idade Média. Não há camas nem banheiros, mas é uma das paradas mais famosas do caminho. Tomei um café com leite oferecido por ele.

Um pouco antes de chegar ao Cebreiro, há em Villafranca del Bierzo um outro albergue famoso, o Ave Fénix. Seu proprietário, o Jato (pronuncia-se "Rato"), costuma fazer um chá à noite de maneira ritual, convidando todos a rezar juntos. No fim ele faz uma oração e dá uma bênção a cada peregrino. Parece incrível, mas as dores do corpo somem. Ficamos novinhos em folha, prontos para o próximo trecho.

Como sempre, ao chegar a Santiago de Compostela, mais uma vez entrei emocionado na catedral, orei e agradeci por tudo o que já conquistei na minha vida. Reafirmei meu propósito de ser um facilitador para as pessoas que forem chamadas à peregrinação.

Ali decidi, entretanto, que só voltaria ao caminho em três situações: se minha filha me convidasse para caminharmos juntos novamente; se um dos três amigos do encontro de Porto de Galinhas – qualquer um deles –, quiser vir, ou para acompanhar o político brasileiro que mais admiro, o senador gaúcho Pedro Simon.

O homem é do tamanho de seus sonhos.

Fernando Pessoa

9
Os meninos da Friboi

Rio de Janeiro
3 de setembro de 1992

Fui para passar apenas dois dias na feira da Associação Brasileira de Supermercados (ABRAS). Seria suficiente para resolver o que precisava e ainda economizaria diárias de hotel no Rio de Janeiro, uma das hospedagens mais caras do Brasil. Dinheiro não aceita desaforos, então é bom nunca abusar.

Como a representação seguia de vento em popa, achei bom visitar as principais feiras do país e aquela era a mais importante.

No segundo semestre de 1992, o país estava conturbado com os desmandos do governo Collor e estávamos prestes a pedir o *impeachment* do primeiro presidente eleito depois da ditadura militar.

Eu estava antenado com as mudanças no varejo em Pernambuco e nos estados vizinhos. Havia um grande problema no Nordeste: o surgimento de empresas "laranjas", que compravam, davam calote e desapareciam.

Como eu era bastante conhecido e tinha boa reputação, muitas empresas me procuravam pedindo informações e que as representasse na região. Quando entendia que o produto, ou o *mix* de produtos, não acrescentava muito ao meu portfólio, agradecia o contato e declinava do convite. Minha lógica sempre foi fazer um trabalho consistente focado em poucos produtos.

Foi nessa época que um amigo gaúcho me ligou perguntando se eu pretendia ir a ABRAS, no Rio. Respondi que não tinha certeza, mas ele me convenceu dizendo que havia me indicado para representar, no Nordeste, uma empresa de frangos muito interessante, a Minuano. Considerei que poderia ser uma boa oportunidade e resolvi ir. Ele me disse então que, no Rio, deveria procurar Vagner no estande da tal empresa.

No Centro de Convenções, a uns quarenta passos da entrada principal, me deparei com um pequeno estande com a placa Minuano. Entrei imediatamente e fui logo perguntando por Vagner.

– Aqui não tem ninguém com esse nome – respondeu um rapazola, que não deveria ter mais que vinte anos.

– Ué, me pediram que o procurasse para falar sobre uma representação no Recife para a Minuano, uma empresa gaúcha de frangos.

– Aqui também é Minuano, mas é de sabão. E *nóis é* de Goiás e não do Sul.

Perguntou-me de onde eu era, respondi que era baiano, mas trabalhava no Recife fazia vários anos. Ele, percebendo o mal-entendido, deu uma risada e esticou o assunto:

– Tem um rapaz do Recife que trabalha com *nóis*. É o Lourenço, um químico. Você conhece?

– Lourenço? Que foi da fábrica Alimonda?

– Ele mesmo.

– Rapaz, o Lourenço trabalhou comigo na Sanbra durante muito tempo. Conheço bem. É gente muito boa! Eu saí de lá faz alguns anos e hoje tenho umas representações. Estou aqui na feira para ver se tem alguma coisa que me interesse.

Dei o meu cartão e já estava me despedindo, quando chegou um gordinho que o rapaz me apresentou como seu gerente. Seu nome era Ivan, um sujeito educado, de fala suave e que me deixou a melhor impressão desde o primeiro momento.

Já se passara pelo menos meia hora que estávamos conversando e eu ainda não sabia o nome do rapaz. Em um determinado momento, ele nos deixou e entrou no estande. Fiquei conversando com o Ivan, que me falou:

– Esse rapaz é o meu patrão, dono da Friboi, mas que agora está dirigindo a Minuano, uma fábrica de sabão em Luziânia, Goiás, pertinho de Brasília. Ele se chama Joesley.

"Joesley, nome complicado de danado", foi o que pensei.

Agradeci a recepção e fui circular pela feira na esperança de encontrar o estande da Minuano dos frangos. Encontrei muitos conhecidos, revi pessoas amigas, fiz muitos contatos e joguei bastante conversa fora. Só não consegui achar o dito estande.

De volta ao Recife uma semana depois, recebo uma ligação do Lourenço:

– Tuca, o Joesley me falou que lhe conheceu e eu disse que você era o melhor representante de Pernambuco desde o tempo em que trabalhava na Sanbra. Disse que você conhecia todos os clientes da região. Ele pediu para que eu o convidasse para representar a indústria dele por aí.

– Louro, eu sou representante da Oleama, que faz o sabão Rio. Hoje vendo umas 13 mil caixas. Como é que vou largar para pegar uma empresa que não vende nada? Além do mais, não sei, mas esse Joesley não me inspirou muita confiança.

– Tuca, o cara é bom! O Ivan vai te procurar, aí ele te explica tudo, ok?

Eu não sabia, mas Deus estava dando mais um empurrãozinho para os meus sonhos. Eu não percebi nada na hora, foi o Joesley quem teve a visão de insistir.

Desliguei o telefone com o mesmo sentimento das outras vezes em que descartei alguma oferta de representação. Pena que daquela vez estava dizendo um não para uma pessoa de quem gostava bastante, o Lourenço.

Pois não é que, após alguns dias, me aparece no Recife um tal de Afonso? Pediu para falar comigo em nome do Ivan, diretor comercial da Minuano. "Que caras insistentes!", pensei. Mesmo assim, aceitei receber o Afonso em meu escritório. No início da conversa ele disse que o Joesley gostaria de ter quatro representantes: um para o pequeno varejo, outro para o grande, além de um para o pequeno e outro para o grande atacado.

Ouvi aquilo com muita paciência. O cidadão estava com os olhos bem avermelhados e um bafo de cachaça que não tinha no mundo quem aguentasse. Quando terminou sua explanação, perguntei:

– Você conhece o Recife? Tem noção de como as coisas funcionam aqui?

– Mais ou menos – respondeu o Afonso.

– Então me diga aí o nome de dois pequenos ou dois médios varejos.

Ele não conseguiu falar nada.

Agradeci a visita e disse que não tinha interesse naquela proposta. Acrescentei que estava atrasado para outro compromisso, e deixei claro que ele estava liberado para procurar outros representantes.

Fiquei perplexo com o erro grosseiro de contratarem alguém tão despreparado para o mercado local, sem o menor conhecimento para vender nada. "Acho que é por isso que as empresas fantasmas pintam e bordam. Não dá para ter sucesso comercial com pessoas ruins", concluí. A Minuano tinha um longo caminho pela frente se quisesse se aperfeiçoar.

Passado um mês, me liga mais uma vez o Lourenço:

– Tuca, o Ivan, nosso diretor, é quem vai te procurar agora. Meu amigo, por favor, vê se o recebe.

– Tá bom, Lourenço. Manda ele aqui.

Lá veio o Ivan com a mesma conversa. Falou que o Joesley insistia em que eu me tornasse o seu representante no Recife. Tive que contar a mesma história:

– Olha, Ivan, eu trabalho com a Oleama. Vendo 13 mil caixas de sabão mensalmente. Você acha que eu vou largar isso por uma empresa que não consegue vender uma única caixa por mês?

Derrotado nos argumentos, me pediu uma indicação. Sugeri alguns nomes e ele foi atrás, mas ninguém aceitou a oferta. Só que logo em seguida recebi uma ducha de água fria: ligou o Max dizendo que a Olvebasa estava fechando.

– Como assim, fechando?

– Pois é, Tuca. Estamos encerrando nossas atividades. Infelizmente a empresa faliu e fechamos ontem. Gostaria de agradecer a você tudo o que fez por nós.

A casa caiu. Eu estava indo tão bem e eis que chega uma notícia dessas! Do dia para a noite lá se foi o meu melhor produto, o maior faturamento. Não assimilei bem a pancada. Passei duas noites sem dormir.

Quase desesperado, recebi, em uma sexta-feira, mais uma ligação do Lourenço. Dessa vez, dizia que o próprio Joesley viria ao Recife e gostaria de falar comigo. Pediu que fosse recebê-lo no aeroporto.

– Segunda-feira, onze horas. Tá fechado, Tuca?

Fui até lá receber o rapazola como combinado. O Joesley entrou no Vectra novinho que eu acabara de comprar antes de receber a má notícia da Olvebasa, acendeu um cigarro e começou:

– Tudo bem, Baiano?

– Tudo.

– Pois é... Como é esse mercado daqui?

O sujeito entra no meu carro e vai logo acendendo um cigarro sem pedir licença. Não gostei. Respondi sem muita simpatia:

– Esse mercado é igual aos outros que você conhece. Só que não tem essa história de pequeno, médio e grande varejo. E no atacado é a mesma coisa.

– Pois é... Pedi para o meu pessoal vir aqui falar com você. O que achou deles?

– Você quer ouvir a verdade ou o que as pessoas gostam de ouvir?

Eu não estava com muita paciência, pois foi só ele responder que queria ouvir a verdade que disparei:

– Sua empresa é uma zona. Esses cinco representantes que você tem aqui na região não prestam. Outra coisa, você é goiano e não gosto de goiano, os goianos não pagam comissão.

Eu tinha preconceito contra goianos. Tinha sido representante de um fabricante de linguiça de Goiás e o cara nunca me pagou a comissão. Fiquei traumatizado e estava descontando no rapaz ali no carro.

– Calma, Baiano, *nóis é* diferente! Nunca *paguemos* uma transportadora atrasado, nem comissão ou nota promissória atrasada. Pode procurar saber *quem é nóis*, da Friboi, que você vai mudar de ideia.

Ouvi calado e ele deixou claro quanto gostaria de entrar no mercado nordestino. Perguntei então se conhecia o Recife. Respondeu que não.

– Joesley, tem algum cliente que você gostaria de visitar?

– Não, isto é, talvez o Bompreço.

Levei-o, então, primeiro ao Atacadão GB. Chegando lá, tinha uma caixinha do sabão que ele fabricava na mesa do gerente. Sem dizer quem estava ali, conversamos amenidades e, em seguida, perguntei sobre aquele sabão:

– Isso é uma zona! Já vieram mais de cinco pessoas aqui para tentar vender esse negócio, mas não tem jeito.

Fomos a outro atacadista. Lá, ao ser questionado sobre o Minuano, o gerente falou:

– Tuca, comprei o seu sabão Rio a R$ 14,30. Vendi bem. Já desse outro comprei 1.500 caixas a R$ 9,00, mas só vendi 200. Paguei à vista e nunca mais voltou ninguém dessa empresa aqui.

Com ar de resignado, o Joesley falou:

– Tá bom. Vamos lá no Bompreço.

A visita ao Bompreço também não foi o que o Joesley esperava. A informação do comprador foi a de que o produto tinha sido retirado do sistema, pois, após a primeira compra, nunca mais o vendedor tinha voltado.

Percebi como o rapaz sofria vendo e ouvindo aquilo tudo. Compreendi que seu projeto era realmente construir uma empresa com uma boa articulação comercial na região, mas sua equipe era para lá de fraca. Ruim mesmo.

Quando saímos do Bompreço, já no carro, bastante cabisbaixo, ele perguntou:

– Baiano, por que você não quer trabalhar com *nóis*?

Senti algo diferente naquela hora. Já tinha dado todo tipo de resposta negativa para aquela turma. Não sei exatamente o que me moveu a tentar encontrar uma solução, mas fui taxativo:

– Olha, Joesley, se você tirar todos que estão nessa operação e deixar a área livre para que eu trabalhe com os clientes que já atendo, podemos até conversar.

– Tá fechado! – respondeu de pronto.

Estávamos no fim da tarde. Sugeri que déssemos uma esticada para o Biruta Bar, na praia do Pina. Bebemos um uísque, comemos alguns tira-gostos e depois o deixei num hotel. No outro dia, logo cedo, ele voltou para Brasília.

Dois dias depois, o Ivan apareceu no Recife:

– O homem mandou botar para fora todo mundo, Baiano. De agora em diante, você vai tocar tudo por aqui!

Foi quando dei uma recuada, dizendo que trabalharia todos os clientes da lista que eu lhe dera, na região entre o Recife e Caruaru.

– Mais adiante de Caruaru, entrando pelo sertão, eu não vou. Tenho medo de ser assaltado pelos traficantes de maconha. Fique à vontade para escolher outro que se aventure por lá.

Acertamos tudo. Antes de assumir, preparei uma carta de desligamento da Oleama e fui até o Bompreço comunicar ao Reginaldo. Ele ouviu meus argumentos e perguntou se seria possível indicar uma pessoa conhecida dele para assumir a representação no meu lugar. Apresentei, então, o amigo dele ao pessoal da Oleama, e ambos se acertaram.

À noite, caiu a ficha. O que é que eu estava fazendo? Trocando a estabilidade de uma empresa que dava a tranquilidade de faturar perto de 15 mil caixas por mês para me arriscar com um grupo que sequer tinha conseguido entrar no Nordeste! Rezei para os meus santos pedindo ajuda.

Isso foi em março de 1993. Dez meses depois, eu estaria com o Joesley e sua família comemorando o Natal e os ótimos resultados que estávamos obtendo. A vida dá cada volta!

Os acontecimentos que se seguiram ao meu desligamento da Oleama foram os mais marcantes na minha vida pessoal e profissional.

Uma semana após ter acertado as primeiras providências com o Ivan, o Joesley voltou ao Recife. Dessa vez, chegou mais tranquilo e pudemos conversar sobre mercado, preços, volumes e outros aspectos do comércio regional.

– Joesley, qual o volume você pretende vender aqui na minha área?

– O mesmo que você conseguia vender para a Oleama. É possível?

– Se você mantiver os preços competitivos para aquela mesma quantidade, pode deixar comigo que eu dou conta das vendas. Com que preço posso trabalhar?

– Estou pensando em R$ 11,00.

– R$ 11,00? Tá muito barato – falei. – Pode aumentar isso que vamos vender mais caro.

– Vender mais caro, como assim?

– Já que eu conseguia vender o sabão Rio por 14,50, lhe garanto vender os mesmos volumes por 12,50.

– Tá bom assim. Você então se vira com esse preço!

Foi uma festa. Fiz a tabela para o mercado, que começou a comprar muito. No Bompreço, então, nem se fala. Até marca própria começamos a trabalhar para a rede toda. Visitamos muitos clientes. Toda a família do Joesley – pai, mãe, irmãos, primos, sobrinhos –, todos começaram a vir para o Recife. O Jota – era assim que a sua mãe o chamava – era o que mais vinha e eu viajei muito também a Brasília. Era o início de uma grande amizade. Viramos amigos de verdade.

No fim do ano perguntei:

– Jota, quantas caixas de sabão vocês produzem?

— Entre 80 e 100 mil caixas, Baiano.

Ora, só na minha área já vendíamos entre 60 e 70 mil caixas, quase que a produção integral da fábrica.

Eu me dei muito bem com a família toda, eles têm um jeito simples e recebem muito bem. Todo mundo ali olha nos olhos quando fala e cumpre o que diz. Se eles combinam uma coisa, é aquilo e pronto, não precisa lembrar nem voltar ao assunto. E todos trabalham feito uns loucos. Como eu também sou assim, combinamos bem.

Bastou um ano para sermos líderes de venda de sabão no Recife e nas cidades vizinhas. A batida era sempre a mesma: muito trabalho, viagens constantes, sem tempo ruim para resolver qualquer dificuldade que surgisse.

Sem querer ser pretensioso, acho que muita coisa das operações de distribuição e varejo eles aprenderam comigo, naquela época, mas como eles são muito espertos, aperfeiçoaram. O Jota e eu criávamos muitas situações novas e os resultados eram sempre surpreendentes. Éramos uma dupla de sucesso.

Em meados de 1995 o Jota me telefona:

— Baiano, acabamos de comprar um frigorífico! Estou indo com meu irmão Wesley falar com você aí no Recife.

Eu já sabia que eles trabalhavam com carne, claro. O velho, *seu* Zé Mineiro, a mulher dele, dona Flora, que acompanha tudo como uma águia, os filhos Júnior, Wesley e Joesley, que trabalham com o pai, e as filhas Vanessa, Valéria e Vivianne, que ajudam. Eles são uma família muito unida, decidem as coisas muito rápido, conversando lá entre eles. A fábrica de sabão era apenas uma parte do negócio.

A história de *seu* Zé Mineiro é extraordinária. Começa em 1953, quando ele, aos 18 anos, recém saído do serviço militar, abriu um açougue em Anápolis, Goiás, e nem sonhava com o que iria acontecer em sua vida. Ele chegara a Anápolis aos 12 anos de idade, seguindo seu pai, mineiro de Alfenas, no sul do estado.

Seu pequeno açougue abatia um boi por dia. Mas como conquistava clientes demais, com sua simpatia, acabou tendo que usar um matadouro da prefeitura para expandir o negócio. Já abatia 25 bois por dia e fornecia para outros açougues quando ouviu a notícia de que estavam construindo a nova capital do país, Brasília, perto dali, e que o Brasil inteiro estava indo para lá. Tinha 23 anos de idade, em 1957, quando algo lhe disse que quem chegasse primeiro com carne nos canteiros de obra poderia vender muito.

Assim como outros pioneiros, que enriqueceram em Brasília transportando areia em caminhões e gente em *jardineiras* (caminhões adaptados para transportar pessoas) – Wagner Canhedo, um deles, comprou a VASP e faliu, e Nenê Constantino, outro, criou a Gol e foi um sucesso – Zé Mineiro começou sua fortuna a partir de quase nada.

Ele saiu de Anápolis no lombo de um cavalo, tocando meia dúzia de bois que iria matar nos canteiros de obras mesmo, em pleno cerrado. O gado viajava 15 dias a pé. No início, Zé Mineiro matava, cortava e até assava apenas um boi por dia – mas vendia rápido para os operários da construção civil.

Não demorou e as empreiteiras começaram a comprar carne dele. Abriu então um açougue em Brasília, e aí começou tudo. Logo, os concorrentes começaram a chegar e ele teve que estruturar melhor o seu negócio. E assim foi até 1966. Em 1969, ele conseguiu comprar o primeiro frigorífico. E não parou mais de crescer. Em menos de um ano, abatia 260 bois por dia; mais um pouco já eram 1.200.

Hoje, 60 anos depois do início do pequeno açougue de Anápolis, o grupo – que passou a se chamar JBS, iniciais do nome de Zé Mineiro, José Batista Sobrinho – está presente em 22 países e é o maior exportador mundial de proteína animal, com faturamento de quase R$ 100 bilhões anuais. Abate, em 340 unidades de produção, 37 milhões de bois, porcos e frangos por ano e os vende para 150 países, com o trabalho de quase 200 mil empregados. Investe também em fábrica de celulose, energia, cosméticos e em um banco. Um império, sem dúvida.

Como se deu esse crescimento? "Muito trabalho", dizem pai e filhos, "o dono de olho no negócio, tudo muito diferente de qualquer coisa". Como está escrito no que eles consideram suas "crenças": foco no detalhe; mão na massa; as coisas só são conquistadas com muito trabalho; pessoas certas nos lugares certos; atitude é mais importante que conhecimento: líder é quem tem que conquistar seus liderados; liderar pelo exemplo; foco no resultado; trabalhar com gente melhor que a gente; acreditar faz a diferença.

Impressionante foi a forma como os filhos, ainda muito jovens, quase crianças, começaram a participar do negócio. Nenhum manual de negócios recomendaria o que foi feito – mas deu certo.

Ele criou os filhos bem perto do trabalho, nem deixou que acabassem o colegial e os colocou para abater os bois. Quando o Júnior completou dezoito anos, ele assumiu a empresa, que já se chamava Friboi. É um homem falador, simpático, todo político. O Júnior acordava às quatro da manhã para matar os bois e entregar a carne nos açougues. E conseguiu que os donos dos açougues dessem a chave para ele, então ia de madrugada e colocava a carne arrumada, prontinha, lá dentro antes de todo mundo chegar. Quando abriam, os donos já encontravam as peças arrumadas.

Lógico que, se alguém mais vinha tentar vender carne, eles não queriam nada.

Wesley, o irmão do meio, entrou no negócio primeiro cuidando da graxaria, que depois viraria a fábrica de sabão Minuano. Passou para o frigorífico quando seu irmão Joesley começou a trabalhar também. Ele sabe tudo de boi, puxou o pai nisso. E Joesley é um gênio dos negócios, entende muito do financeiro.

Eu não imaginava quanto.

No dia seguinte, me chegam aqueles dois meninos, Joesley, com vinte e dois anos e Wesley, apenas um ano mais velho. Eu tinha acabado de comprar um Vitara, um jipe da Suzuki, no início da era dos automóveis importados, depois da famosa frase do ex-presidente Collor comparando os carros nacionais com carroças. Peguei os dois no aeroporto.

– Que carro é esse, Baiano? – perguntou o Jota.

– É um Suzuki, importado do Japão, muito bom.

– Ah, que bom. Podemos dar uma olhada nas lojas?

A rotina era quase sagrada: sempre que um deles vinha ao Recife, começávamos visitando os pontos de vendas. No meio das visitas, Wesley falou:

– Baiano, estamos aqui *pra* você ajudar *nóis*.

– Mais? – respondi em tom de brincadeira.

– O Wesley vai te falar de carne – completou Joesley.

– Pois é, Baiano, compramos um frigorífico e não temos para quem vender nossa produção.

Respondi sem nem refletir:

– Velho, tô fora. Só ouço falar a todo o momento que carne mela. É um tal de devolver pedido, uma confusão danada. Isso é uma dor de cabeça, amigo.

– Você não precisa fazer nada. É só tirar o pedido e *nóis faz* o resto – Wesley disse num tom convidativo.

Eu não podia recusar, aqueles meninos tinham me trazido muita coisa boa desde que começamos a trabalhar juntos.

– Só se for no Bompreço – eu disse e os dois abriram um sorriso. Peguei um telefone e liguei para o Reginaldo:

– Chefe, sabe aquele amigo da Minuano? Eles agora estão com um frigorífico.

– Baiano, sai dessa. Em frigorífico, são todos ladrões. Corra disso!

– Não, chefe – insisti. – Queria que você nos ouvisse...

Reginaldo resistiu, inclusive porque tinha um grande amigo que era o principal fornecedor de carne do Bompreço. Eu continuei insistindo, até que ele cedeu:

– Tá bom, Baiano, estamos no dia 15. Então marque para o dia 28 que é o dia do seu santo, São Judas Tadeu. Vamos almoçar no Tocheiro.

Perguntei aos meninos se poderiam estar no Recife no dia 28. Pergunta besta, eu já sabia a resposta:

– Claro – responderam.

Wesley, ainda cismado, perguntou:

– Baiano, é o Reginaldo mesmo que vai para esse almoço? Ele não é o dono?

– Wesley, Baiano é amigo dele – reforçou Joesley.

– Estejam aqui dia 28 e veremos – desafiei.

No dia agendado, liguei logo cedo para o chefe (é assim que trato o Reginaldo até hoje).

– Confirmado, Baiano, meio-dia e meia lá no Tocheiro. Vou levar comigo o Arquimedes e o Rômulo, ok?

O Jota já tinha me ligado confirmando que seu voo pousaria às onze e meia. Fui recebê-los e seguimos para o restaurante. Lá chegando, já estavam todos nos esperando.

Após as apresentações, o Reginaldo brincou:

– Baiano, lá vem você me apresentar dois ladrões!

Eu ri, o Jota riu, mas Wesley ficou meio ofendido:

– Não somos ladrões. Viemos aqui *para nóis fazer* uma parceria.

Imediatamente Reginaldo, como sempre muito decidido, virou-se para sua equipe e falou:

– Rômulo, cota a carne do Baiano a partir de hoje.

Saímos dali com duas carretas de carne vendidas.

Naquele almoço consumimos quase dois litros de Johnnie Walker e jogamos muita conversa fora. Na volta para o aeroporto, éramos só alegria. Mesmo assim, o Jota chamou a atenção:

– Baiano, não esqueça: uma coisa depende da outra, viu?

Não entendi, perguntei o que ele queria dizer. Ele estava me alertando para que eu não esquecesse o sabão; afinal, como a carne era um produto muito mais caro, e a minha comissão era de 1%, corria o risco de me empolgar com isso. Ele sabia que nós iríamos vender bastante carne toda semana, enquanto as vendas de sabão seriam em menor número, e os pedidos uma ou duas vezes por mês.

Começamos então uma nova fase com o mercado de carnes, mas confesso que nunca vi tanta confusão com entregas em toda a minha vida.

Eles não tinham muita base para trabalhar no Nordeste, estavam acostumados com o centro, de Goiás para Brasília, São Paulo, Rio de Janeiro. Era só um dia de viagem. Não tinham estrutura para fazer a carne chegar boa com quatro, cinco dias de viagem. Foi muito complicado.

Os carros vinham quebrados de Goiânia, acho que eles não tinham condição de pegar o frete mais caro e pegavam os motoristas mais baratos. Acabavam perdendo vários carregamentos.

Chegou uma hora em que eu disse:

– Não vou vender. Enquanto vocês não arrumarem, não vou vender.

Eles arrumavam um carro melhor, vinha direitinho, dali a pouco voltavam os motoristas ruins. Chegava a carne errada, com os pesos errados, desarrumada. Em vez de peças de cinquenta quilos vinham com trinta, aí o cliente não aceitava e era preciso vender mais barato. De cada dez cargas vendidas, sete chegavam com problemas.

Não perdi meus clientes por causa da amizade. Eles usaram isso, mas essa amizade vale para eles também. Agora que eles cresceram muito, eu ganho muito.

Foram cinco ou seis meses até que eles arrumassem a logística. Melhorou quando o Júnior, que na época era o presidente da empresa, começou a ajudar Wesley e Joesley, eles sempre foram muito unidos. Colocaram as operações em ordem e passamos a vender cem carros por mês. O Bompreço logo se tornou o maior cliente da Friboi no Brasil.

O bom de trabalhar com os meninos é que eles são muito honestos, admitem quando erram.

Uma vez liguei de Maceió:

– Joesley, estou com uma carne com problema aqui, queria que alguém viesse resolver.

– Eu vou aí agora – ele respondeu com firmeza.

Pegou o avião e veio, fiquei lá esperando ele chegar. Podia mandar um diretor ou gerente, mas veio ele mesmo. A carne realmente estava com problema e ele admitiu.

Eles nunca deixaram de assumir. É um diferencial muito grande chegar e dizer: "Erramos, vamos tentar consertar". Eles são queridíssimos em todo o Brasil, o pessoal adora os meninos da Friboi.

As vendas cresceram tanto, que eles arrendaram um frigorífico na cidade de Goianira, em Goiás, só para fornecer ao Bompreço.

Eles me chamavam para Brasília sempre, eu ia mostrar para eles como era vender. Fazia tabelas, ia com eles conversar com os clientes. Para São Paulo também, visitamos muitos clientes juntos. Eles absorviam minha experiência de vendas, que naquela altura já estava bem razoável.

Eles chamavam:

– Tuca, vem pra cá.

Eu os apresentava aos clientes que eu conhecia, a gente conversava, os meninos falavam daquele jeito simples deles, dali a pouco os clientes estavam comprando deles também.

A nossa parceria só me trouxe frutos positivos. Fiquei amigo mesmo da família, e eles adotaram o Recife como segunda casa. As praias de Pernambuco viraram parada obrigatória para as férias e feriados de todos.

O *seu* Zé Mineiro é um homem diferente. Supercalmo, de uma índole boa, os meninos não fazem nada sem que ele esteja do lado. Adora as fazendas dele e toma conta dos bois, dos confinamentos, nunca parou de trabalhar.

Uma vez, quando fui visitá-los, ele olhou para um boi no pasto com o maior amor:

– Tuca, veja que anca linda a desse animal.

Eu respondi:

– *Seu* Zé, se fosse uma mulher eu via, mas num boi não vejo não.

Ele riu:

– Você não entende nada disso...

Ele não fuma, bebe pouquíssimo, acorda todos os dias às cinco da manhã. Com aquele dinheiro todo e não tem dor de cabeça, nem gripe. Ele não pinta o cabelo!

Seu Zé Mineiro abraça todo mundo e grava o nome, não esquece. Fala igualmente com as pessoas, seja quem for. Ele é muito diferente, tem muita grandeza. E os meninos, acho que aprenderam com ele o jeito honesto.

Três anos depois de eu ter começado a representar a Minuano, estávamos aproveitando a noite no Recife Antigo, num dos bares da rua do Bom Jesus. Joesley tomava uma dose de uísque e eu uma de Campari com suco de laranja quando ele começou a falar de sonhos.

Ele queria construir uma nova fábrica para produzir um *mix* maior de produtos, do sabão a uma linha completa de detergentes, desinfetantes, amaciantes e uma linha especial de sabonetes masculino e feminino com a marca Albany. Perguntei o porquê do nome.

– É o nome de uma cidade lá dos Estados Unidos. E eu acho muito bonito – ele disse.

– Olha, meu irmão – falei com toda convicção –, se você continuar com essa mesma disposição de trabalho, pode escrever: quando essa fábrica sair, você será certamente o maior do Brasil. Você vai ser muito grande.

Foi a minha vez de ser profético. Além de tocar a fábrica da Minuano, o Jota era também o diretor financeiro da Friboi, enquanto Wesley cuidava dos frigoríficos e Júnior era presidente. Nos anos seguintes, eu vi de perto como eles são vivos, como vão atrás da oportunidade até lá no fim do mundo. Mas sempre dentro de uma seriedade muito grande, porque eles não armam com ninguém para conseguir as coisas.

Em 1997, a Friboi começou a exportar carne. Foi um salto, de repente o Brasil passou a competir seriamente no mercado mundial, e a Friboi foi na frente, com vontade. Os meninos compraram o frigorífico Mouran, sediado em Andradina, no interior de São Paulo, em 1999, depois foram se expandindo pelo Mato Grosso do Sul, São Paulo e Rio de Janeiro.

Numa das vezes em que fui a Brasília, Joesley me levou para uma cidade-satélite e mostrou uma grande terraplanagem:

– Baiano, tem base? *Tô* enterrando aqui 15 *milhão*.

Era a preparação do terreno para a nova fábrica da Minuano.

– Já comprei as máquinas. É tudo italiana.

A inauguração dessa nova fábrica me emocionou muito. Vi o sonho dele de fazer a marca Albany virar realidade.

Em 2003, fiz uma grande festa no Recife para comemorar os dez anos de parceria da Tuca Representações com a Friboi. Eu acredito na gratidão e tinha ali muito a agradecer, às pessoas que estavam comigo e à vida. O evento foi na Cachaçaria Carvalheira e, muito emocionado, vi a minha filha Bruna, que na época estava com dez anos, ser a mestre de cerimônias e anunciar a palestra do jornalista Luís Nassif, convidado para falar sobre conjuntura econômica e de mercado naquele primeiro ano do governo Lula.

Se até ali a Friboi tinha crescido, depois foi uma explosão. Em 2005, eles compraram a Swift, maior frigorífico da Argentina, e viraram uma das maiores empresas do mundo no setor de carnes enlatadas. Em 2007, eles se transformaram numa S/A, ofertando ações na Bolsa de Valores de São Paulo e mudando o nome para JBS, iniciais do nome do *seu* Zé Mineiro.

Naquele mesmo ano, eles fizeram uma loucura que saiu em todos os jornais: compraram a Swift & Company, empresa americana muito tradicional, de 150 anos de história, mas que estava mal das pernas. Com isso a JBS se tornou a maior empresa de alimentos de origem bovina do mundo.

Os americanos ficaram em choque, a JBS era muito menor que a Swift. Eles se acalmaram quando Wesley mudou-se com a família para Fort Collins, no Colorado, para dirigir a empresa. Ele não falava nada de inglês na época, mas mostrou comprometimento total, e logo nos primeiros dias foi lá na linha de produção, pegou um facão e mostrou como é que se desossa um boi.

Eles têm um estilo de administração que o Joesley batizou de *Frog, From Goiás*. E a Swift agora está dando lucro...

Em outubro de 2008, organizei mais uma festa no Recife para os quinze anos Tuca/Friboi, no castelo do Instituto Ricardo Brennand. Dessa vez, o palestrante foi o jornalista econômico Carlos Sardenberg, muito simpático e bem-humorado, anunciado mais uma vez pela minha filha Bruna, agora adolescente e presença constante em minha vida. Ele fez um paralelo entre a crise mundial e o Brasil que dava certo com empresas como a JBS, lembrando que temos toda a chance de desenvolvimento econômico se abrirmos espaço para o setor privado. João Carlos Paes Mendonça, presidente de honra da Associação de Supermercados de Pernambuco, recebeu uma calorosa homenagem de todos nós. Foi uma noite e tanto!

Um dia, fui a São Paulo e o Joesley me levou até a marginal Pinheiros.

– Baiano, *ói* o que *nós compremo*...

Era a antiga fábrica da Bordon no meio de um matagal, parecia uma favela. Com parede descascada, vidro quebrado, ferro-velho pelo chão, horrível.

– Baiano, aqui *nóis vai* fazer a sede da nossa *holding*.

– Rapaz, você é maluco – eu tive que dizer.

Ele tinha já os frigoríficos, a fábrica de sabão, queria ter um banco (que depois teve, o banco JBS), estava no maior embalo de criar e construir. Dois meses depois ele me convidou para ir lá ver de novo. Tinha 500 caminhões tirando terra e entulho e não demorou muito para eles colocarem um prédio lindo ali, todo de vidro.

Quando fui lá pela primeira vez depois de pronto, subi até o terceiro andar e vi aquele monte de gente trabalhando, aquela empresa enorme, e fui ficando emocionado. A secretária era nova, não me conhecia. Perguntei pelo Joesley e ela não quis me deixar entrar, disse que ele estava ocupado.

– O quê?

Passei por ela e empurrei a porta. Era uma sala grande onde estavam as mesas dos quatro, *seu* Zé e os meninos.

Eles me cumprimentaram:

– Baiano!

Eu então dei uma cabriola. De pura emoção ali na sala deles. Depois fomos almoçar e até hoje eles riem disso.

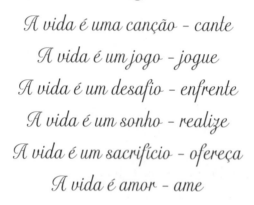

A vida é uma canção - cante
A vida é um jogo - jogue
A vida é um desafio - enfrente
A vida é um sonho - realize
A vida é um sacrifício - ofereça
A vida é amor - ame

Sai Baba

10
Vida espiritual

Uruçuca, interior da Bahia
3 de maio de 1961

— A doença desse menino só vai acabar quando a Mãe dos Anjos rezar por ele.

Minha mãe era católica, mas isso não a impedia de acreditar nas mulheres rezadeiras, famosas nas redondezas graças a verdadeiros milagres que conseguiam por meio das orações. Mãe dos Anjos tinha sido minha parteira e era muito respeitada por sua sabedoria. E ela me curou.

Minha avó era mais católica que minha mãe, beata mesmo, ia à igreja todo domingo e dia santo. A fé dela me impressionava, até hoje guardo o terço que ela me deu. Foi por causa dela que virei coroinha na igreja de Nossa Senhora da Conceição e também para fazer amizades, que ali era o centro social da cidade. Lá, fiz minha primeira comunhão, todo vestido de brim branco, que meu pai achou muito caro para uma simples roupa. Ele só acreditava no que podia pegar na mão, mas me deixou solto para seguir o que quisesse. Foi com minha avó que comecei a aprender sobre fé, a rezar e a agradecer todos os dias.

Com o passar dos anos, o futebol e os namoros me afastaram um pouco da igreja, ou melhor, das missas todos os domingos, mas continuei acreditando no bem e na força espiritual.

Em Salvador conheci a igreja do Senhor do Bonfim, na colina do Monte Serrat, e também a de São Judas Tadeu, na Baixa das Quintas, onde fiquei devoto do santo das causas impossíveis. Todo dia 28 de outubro presto homenagem ao meu santo protetor, sempre que possível, na missa das seis da manhã na igreja de São Judas, no Jabaquara, em São Paulo.

Mas eu não acredito apenas nos santos católicos. Certo dia, quando saía de um jogo de futebol na praia de Piatã, em Salvador, uma negra que vendia acarajé me chamou e disse, olhando em meus olhos:

– Estou vendo uma aura diferente, uma luz azul contornando o seu corpo.

Eu tinha dezenove anos, era um tanto arrogante e me fiz de incrédulo, mas ela continuou:

– Meu filho, você é uma pessoa especial. Uma pessoa abençoada. Procure fazer sempre o bem, que essa luz nunca deixará de acompanhá-lo.

Ela provavelmente nem imagina, mas aquelas palavras ficaram marcadas em mim e hoje lembro bem delas. Eu me sinto abençoado por Deus quando recordo as muitas coisas boas que a vida me proporcionou.

Tive contato com algumas mães espirituais na Bahia, mas foi no Recife que encontrei apoio para tomar decisões muito importantes.

Na capital pernambucana, um dos meus momentos de maior insegurança foi quando recebi a informação do fechamento da Olvebasa. Aflito por orientação, fui visitar dona Maria José, uma dessas "mães espirituais" que eu sempre consultava. Ela atendia no bairro do Jordão e depois de jogar os búzios, falou:

– Meu filho, tenha só um pouco de paciência, pois uma coisa muito boa está para acontecer na sua vida. Você é filho de Iansã e Ogum. Eles afirmam que uma grande mudança está para acontecer.

Quando Deus fecha uma porta para alguns filhos, abrem-se dez janelas. Não se preocupe, é só aguardar.

Escutei essas palavras poucos dias antes do telefonema do Lourenço mais uma vez pedindo que considerasse a Minuano, e fosse encontrar o Joesley no aeroporto.

Uma vez acertados os ponteiros para começar a trabalhar com o Joesley, voltei à dona Maria José.

– Deixa eu jogar aqui *pra* ter certeza do que falei, meu filho. Pronto, confie nesse menino que está te chamando, pois ele vai ser o outro presente de Deus.

E eu não tenho dúvidas que foi!

Muitas vezes, as palavras certas chegam da boca de quem não é religioso. Quando eu comecei a vender bastante para o Bompreço, o Reginaldo me abriu os olhos:

– Baianinho, cuidado! Não deixe o dinheiro subir à cabeça. Aqui na terra ninguém é superior. Sugiro que você faça todo dia um exercício de humildade antes de sair de casa.

Isso me marcou profundamente, palavras sábias de um amigo que sigo à risca. Nada de orgulho, ninguém é melhor que ninguém, digo a mim mesmo todos os dias ao fazer minhas orações e pedir proteção.

No bairro de Bomba do Hemetério, local de comércio popular na periferia recifense, havia um comerciante conhecido como João da Bomba. Eu era vendedor da Sanbra ali pelo fim dos anos 1970 e, numa visita ao seu mercadinho, achei que ele estava muito triste. Na conversa, *seu* João me contou que a esposa havia cometido suicídio, deixando-o com quatro filhos pequenos. Ele estava desesperado e confessou que, por pouco, também não tinha se matado. O que o segurou foi o apoio do padre e de alguns fiéis da igreja de

São Judas Tadeu, no bairro do Cajueiro, uma igreja que eu tinha muita vontade de conhecer. Em sua companhia, fui até lá e entrei em contato com uma comunidade católica bastante unida e devota.

Seu João da Bomba me levou para conhecer também o abrigo de leprosos – hoje seria mais correto falar em portadores de hanseníase –, que a comunidade da igreja mantinha. Naquele lugar qualquer um sente que existem problemas infinitamente superiores aos que enfrenta. Fui voluntário ali e conheci pessoas já sem pernas e braços, que ficavam felizes apenas em ter alguém para conversar. Gente que precisava das coisas mais básicas, como sabonetes, pastas de dente, revistas, roupas, comida.

Trabalhar ali foi uma religião do amor, aprendi a ajudar sem nada pedir em troca.

Recordo o espírito generoso do irmão Oscar. Mesmo cego e com apenas uma perna, era um verdadeiro herói no apoio a todos que por ali passavam. Viveu mais de cinquenta anos dentro do hospital, mas era ele quem presidia o centro espírita na comunidade e deixou um legado de amor ao próximo.

Além do irmão Oscar, aprendi muito com sua sucessora, irmã Biu, que continuou o trabalho mesmo com a grande limitação de recursos. Depois de cada visita, eu voltava para casa sentindo-me grato por ter tão poucos problemas. Pena que grande parte da sociedade ainda não consiga enxergar quanto poderia ser mais solidária para tantos corações abandonados.

A vida foi me mostrando a existência de Deus, de um ser superior a todos nós, que não está limitado a nenhuma religião. Cheguei a visitar o Vaticano e receber a bênção papal.

Visitei os santuários de Nossa Senhora de Lourdes, na França, e de Fátima, em Portugal, pedindo proteção para mim e para minha família. Rezei para o Menino Jesus de Praga, na igreja de Nossa Senhora Vitoriosa, e também fui a Machu Picchu, no Peru, fazer meditação.

Tinha até o sonho de conhecer a Índia, que realizei.

No Recife, comecei a praticar ioga com o professor Morran, que eu admirava muito. Ele tinha morado na Índia por nove anos e contava histórias fascinantes sobre o país e a sabedoria dos mestres. Em julho de 2009, deu-me um estalo e resolvi que queria ir até lá. Ele concordou em me acompanhar numa viagem de dez dias, que faríamos em novembro. Acertamos que eu compraria as passagens e ele seria meu guia. Liguei para a agência Pontual Turismo e avisei ao Samuel, responsável por organizar minhas viagens, que iria à Índia e que o meu professor de ioga iria procurá-lo.

O tempo foi passando e o Morran não se pronunciava.

Numa tarde, no British Country Club, onde costumo jogar um baralhinho nas horas de folga, um amigo e grande professor de matemática, o Celso, me perguntou se eu realmente pretendia viajar para a Índia. Quando disse que sim, ele perguntou se eu já tinha ouvido falar em Sathia Sai Baba.

Não tinha, era a primeira vez que ouvia falar de Sai Baba, "um indiano que faz milagres que nem Jesus," comentou Celso. Contou-me que ele tinha vários templos na Índia, além de manter vários hospitais e escolas, tudo gratuito.

Dias depois, me chegou o Celso com o livro *O homem dos milagres*. Li rapidamente e esqueci o Morran, decidi que faria a viagem sozinho para conhecer de perto o Sathia Sai Baba.

Comecei a procurar na internet mais referências sobre aquele homem. Descobri em Piedade, bairro praiano da cidade vizinha de Jaboatão dos Guararapes, um centro de reuniões. Não gostei do primeiro contato, mas por um folheto soube de outro local de encontros na Boa Vista, bem no centro do Recife. Fiz contato por telefone e me atendeu uma senhora muito educada, a Dora, que me forneceu os horários das reuniões.

Comecei a frequentar o espaço às quintas-feiras, mantendo contato com pessoas que já tinham visitado a Índia várias vezes. Colhi muitas informações boas e úteis.

Reuni-me com o Samuel e começamos a traçar o melhor roteiro para a viagem. Aquilo era um quebra-cabeça: Recife-São Paulo-Londres-Bombaim. De lá, fretaria um carro e dirigiria até Puttaparthi, cidade onde nasceu e residia o Sai Baba.

De Bombaim até Puttaparthi são 200 quilômetros por uma estrada metade asfalto, metade terra, com passagem para um único automóvel. Depois de enfrentar mais de vinte e sete horas de avião, peguei um Fiat velho (o único disponível). Dá para imaginar o cansaço?

Com muito sacrifício cheguei e fui direto a um hotel no centro da cidade. A ideia era passar dois dias no hotel e o restante da temporada nos albergues ligados ao *ashram*. Entretanto, quando vi a realidade do acampamento, mudei de ideia. Era uma confusão de gente, todo mundo dormindo em cima de papelão, muito diferente dos albergues do Caminho de Santiago. Voltei para o hotel e consegui negociar ficar ali os próximos quinze dias. Como o hotel era exatamente na frente do *ashram*, acompanhei a impressionante quantidade de pessoas do mundo todo entrando e saindo, falando os idiomas mais diferentes possíveis. Todos ali, naquela cidade paupérrima, querendo um contato com o homem que era considerado um avatar. Foi uma experiência riquíssima e fiquei muito impressionado.

O Sai Baba saía todo dia às dez da manhã para o *dasara*, uma bênção matinal. Voltava às quatro da tarde para outro encontro, no qual mais de 5 mil pessoas o aguardavam. A imagem que me marcou foi ele acenando para as pessoas, sentado em uma cadeira de rodas conduzida por alunos das escolas que mantinha.

A cidade inteira vivia em função de Sai Baba, mais de 5 mil refeições eram servidas todos os dias gratuitamente.

Passei um tempo muito envolvido com a causa de Sathia Sai Baba, porém me afastei um pouco após a sua morte, em 2011.

O que não quer dizer que não continue valorizando todas as boas causas que defendia como um incondicional trabalho de amor ao próximo.

De todas as experiências religiosas em minha vida, no entanto, até hoje nada se compara ao que vivi na caminhada de Santiago de Compostela.

Ainda considero um grande mistério o que me levou a dizer que queria fazer a caminhada de Santiago naquela conversa com amigos em 2004. Nunca tinha lido nada a respeito de Compostela; meus santos protetores não tinham nada a ver com a história de São Tiago; Paulo Coelho era para mim um ilustre desconhecido; não conhecia nada no norte da Espanha.

Enfim, só posso acreditar que fui chamado por uma força superior. Costuma-se dizer que ninguém volta o mesmo após fazer o Caminho de Santiago de Compostela, o que acho uma grande verdade.

O impacto que me causou a primeira caminhada proporcionou diferentes significados à minha vida. Ao me sentir acompanhado por meu pai, e encontrar amigos e pessoas que nunca imaginara conhecer, a caminhada me fez refletir sobre o orgulho, o medo, a vaidade, o apego, a solidão, o amor, a força, o desejo, a fé e a dor. Aprendi muitas coisas, principalmente aquelas relativas à alegria de ajudar o próximo.

A chegada à catedral é sempre uma emoção. Não importa quantos caminhos, não importa quanto tempo levei, sempre senti gratidão, conforto e paz.

Não é entrar em Santiago que causa mudanças, mas sim caminhar até lá. O mais transformador no Caminho é o próprio caminho. Os encontros com o desconhecido, as descobertas, a dor, tudo acontece. Nesses momentos é que nossas vidas são tocadas.

Voltei sempre diferente no dia a dia, em casa, no trabalho, com os amigos. São as mudanças o significado verdadeiro do Caminho.

As principais transformações pelas quais passei foram essas:

1. A ansiedade ficou para trás

Nossa vida tem um ciclo. Começo, meio e fim – pelo menos na dimensão terrestre. De nada adianta encurtarmos o nosso tempo na busca incansável do que não é tão importante. Em razão do excesso de ansiedade, quantos precisam das drogas para dormir e para acordar? O problema é que podemos acordar e descobrir que já é tarde. O tempo é o senhor da razão, é bem verdade, mas nós somos os responsáveis por encontrarmos as razões para o nosso tempo. E podemos fazê-lo de maneira muito mais valiosa. Com mais amor e mais apego ao que de fato é interessante às nossas vidas.

2. As pessoas não são iguais

Uma das passagens mais tocantes da caminhada para mim foi rezar o Pai-Nosso ouvindo os trechos em vários idiomas. No final, sabíamos o significado do amor, do arrependimento e da nossa condição humana. Éramos todos diferentes. Diferentes culturalmente, nas origens geográficas, nas percepções de mundo, porém unidos ali pelo sentimento de amor.

Percebi que a única coisa que nos une é o fato de sermos todos filhos de um mesmo Pai. Cada um tem suas vontades, seus desejos, suas esperanças, que precisamos respeitar. A vida vai nos levar por caminhos muito diferentes e todos merecem carinho e compreensão.

3. Senti Deus ao meu lado durante todo o caminho

Se alguém já tentou procurar por Deus, basta olhar ao redor. A natureza nos brinda com um lindo espetáculo todos os dias. O que pode existir de mais sagrado do que a visão do amanhecer? O que falar então do entardecer? Basta ter olhos e coração para entendermos cada sinal divino. E Ele vai se revelar num gesto de carinho, em um sorriso, em cada agradecimento. Nada substitui a alegria de procurar fazer sempre o bem. Nada como sentir verdadeiro o desejo de um *buen camino*.

4. Consegui rever meu pai, trinta anos depois

Na infância, foram vários os dias das longas caminhadas acompanhadas de conselhos. Seguindo para Compostela, redescobri os mesmos valores tão simples, mas tão importantes para uma vida feliz. Pude rever e sentir tudo o que meu pai me ensinou. Ele caminhou comigo mais uma vez.

5. Hoje me considero capaz de tudo

Sou capaz de tudo sim! Até mesmo porque tudo o que precisamos fazer é tão pouco aos olhos da grandeza do nosso Deus. Ele nos dá a força para transpormos todos os obstáculos que a vida traz. E pelo próximo, pela confiança e gratidão, superamos todos os desafios. A força da fé nos faz muito fortes. Em vários momentos da caminhada, pensei em desistir. Muitas noites adormeci na certeza de que não conseguiria continuar no dia seguinte. Mas o milagre do caminho me encheu de forças para continuar caminhando, até hoje!

6. Sou o que eu quero ser

Durante toda a minha vida, tive sonhos simples e complexos. Hoje percebo que a felicidade está em coisas mais simples. Se os melhores momentos da minha vida passei como peregrino nas terras espanholas, foi com o mínimo de posses. Eu mesmo carreguei tudo o que precisava para sobreviver. Por que então me preocupar em ser ou ter muito mais do que consegui? Sou feliz com minha atividade profissional, sou feliz com meus amigos, sou muito feliz com a minha família. Se algo a mais me for dado, que seja para que eu dê alegria a outras pessoas.

7. Aprender a perdoar é fortalecer o coração

Na imensidão dos bosques da Galícia, nas montanhas dos Pirineus ou nos caminhos sem fim da província de Burgos, é possível ver e sentir como todo o resto, inclusive você, torna-se pequeno perante os desígnios de Deus. Por que, então, guardar rancor? Um perdão não significa esquecer. Significa deixar claro que nada é tão grande na natureza humana que não mereça ser relevado. A dor da mágoa não pode, jamais, superar a alegria de um coração em paz.

8. A dor está em nosso pensamento

As religiões insistem em falar do pecado e esquecer que Deus fez o homem à sua imagem e semelhança. Nossa culpa deve ser apenas a de nos afastarmos de amar o próximo. De resto, quem é capaz de julgar o certo e o errado? Fazer o bem e nada mais: essa é a receita da alegria de espírito. A história de vida dos muitos hospedeiros do Caminho de Santiago, com sua entrega e dedicação aos peregrinos, é o maior exemplo do poder da fé, da vida para doar-se, da palavra e do carinho que aplaca todas as dores.

9. Seus sonhos serão realidade

Os sonhos nos mantêm vivos. A alma engrandece quando determinamos nossos desejos e acreditamos que serão possíveis. Já disse o poeta que a persistência é a maior de todas as virtudes.

Lutar pelos seus sonhos é a maneira mais honesta de você retribuir o dom da vida que lhe foi dada. Nunca deixe de sonhar. Haverá sempre um caminho a ser percorrido.

10. O amor é o sentimento mais relevante

Acredito que o amor é a base de tudo. De nada adiantam as experiências da vida, as palavras ditas ou não ditas, sem o amor não seríamos nada. O amor, a bondade, a crença e a esperança no próximo nos fazem maiores. E seremos sempre mais próximos de Deus quanto mais amor houver em nossos corações. O amor que nos faz gostar, perdoar e compreender o próximo. O amor que dá mais relevância à nossa passagem.

11. A gratidão é a maior medida do caráter

É com a gratidão que demonstramos o nosso respeito, o nosso carinho e o reconhecimento por tudo o que fazem por nós. A gratidão dá sentido ao nosso passado, nos guia pelo presente e cria uma perspectiva mais positiva para o futuro. A gratidão é a memória que deveria permear todos os corações.

12. Desistir, jamais

O verdadeiro peregrino nunca desiste, vai em busca da sua graça. Assim também na nossa vida não há razão para deixar de acreditar. A luz que nos guia acredita em todos nós. E os caminhos se abrirão todos os dias à nossa frente se não abandonarmos a nossa labuta. Peço a Deus que o meu último suspiro, na minha última hora, seja para agradecer por ter podido transformar a minha vida em algo de tão rico significado e valor para mim e para todos os que por ela passaram.

A vida é a arte do encontro, embora haja tanto desencontro pela vida.

Vinicius de Moraes

11
Quando eu estou aqui, eu vivo esse momento lindo

Recife, 2014

Toda vez que alguém me pergunta o que me levou a escrever este livro, encontro uma série de motivos. Talvez a vontade de ser mais um a dizer que ninguém deve deixar de lutar pelos seus sonhos. Ou a tentativa de arrumar as ideias de quem caminhou sozinho por muitos dias e que teve muito em que pensar. Ou ainda convidar as pessoas a ousarem mais diante dos desafios diários. O que mais acredito, no entanto, é que fui movido pela gratidão.

Eu queria deixar registrado quanto eu reconheço o esforço dos que me fizeram caminhar. Em todos os sentidos.

A minha incondicional devoção a todos os meus santos, às vezes motivo de piada entre pessoas próximas, está no topo da lista dos meus agradecimentos. Não duvido que a religião – qualquer que seja sua denominação, desde que estabeleça o bem como princípio e dogma – me ajuda a ser uma pessoa menos vazia.

Enquanto eu reunia material, escritos, fotos e memórias para este livro, minha mãe, dona Domingas, faleceu. A ela registro meu agradecimento de filho. Meu querido Anastácio também se foi, depois de uma luta desigual com uma doença degenerativa. Primo, pai, irmão, tutor, conselheiro e tudo o mais de que precisei na minha formação, terei sempre na memória a sua bondade e determinação de me ensinar a trilhar pelos caminhos mais assertivos.

O carinho e o equilíbrio que Caquinha e Bruna trouxeram ao meu lar me fizeram ser mais forte e compreensivo. Companheira incondicional, minha esposa é responsável por tudo de bom na minha vida e que eu não teria alcançado sem o seu olhar sincero, sua vigilância e sua compreensão. Bruna, minha filha, o maior presente de Deus, encheu de alegria e orgulho nossa casa. Com seu temperamento forte, tem ao mesmo tempo uma doçura que nos conquistou e nos faz agradecer cada minuto que passa conosco.

Claro que me lembro de cada mão estendida, cada abraço sincero de parabéns por metas conquistadas. Muitas foram as amizades verdadeiras, dentre as quais Reginaldo Mendonça, que ao cruzar comigo no início de minhas incursões no mercado, hoje me ajuda a comemorar o acerto do rumo escolhido. Tenho por ele o sentimento maior de gratidão e respeito.

O destino me colocou no caminho dos meninos da Friboi: Júnior, Wesley e Joesley. Tenho a amizade deles como grande privilégio. Jota, companheiro de todas as horas, sintetiza essa união. Fico emocionado a cada nova conquista dessa equipe, dessa família, e sou grato por toda essa história de sucesso. Nos vinte anos da parceria Tuca/Friboi, fizemos mais uma festa de gala no Instituto Ricardo Brennand.

O encontro foi emocionante, começando com o coral do projeto Ária Social, da bailarina Cecília Brennand. Quem fez as honras da casa foi mais uma vez minha filha Bruna, só que toda a família Batista veio ajudá-la nas apresentações. Murilo, filho mais velho de Joesley, e Fabrine, filha de Valery (irmã de Joesley), apresentaram Henrique Meireles, que comentou as mudanças pelas quais o país vem passando nesses últimos anos.

SONHO ESTRELADO

Dona Flora, matriarca da família Batista, fez uma homenagem a Antonio Marcos, do supermercado Arco-Íris, primeiro cliente do sabão Minuano na região, e Wesley agradeceu a Reginaldo Mendonça pelo seu apoio no início das operações. Todo mundo estava lá, até minha querida "Shiva", que ajudou a me criar, e meu saudoso amigo, então governador de Pernambuco, Eduardo Campos.

Ainda lá na Espanha, quando minha filha sugeriu que eu escrevesse o livro, me veio a lembrança de Nivaldo Brayner. Professor e grande comunicador, ele poderia juntar cada pedaço de minhas confusas memórias, dando ordem e lógica ao meu texto. Contei desde os primeiros momentos com sua colaboração e de seus revisores. Muito obrigado, meu irmão. Como ninguém, você captou minhas alegrias, angústias e emoções me ajudando a colocar tudo isso nestas linhas.

Num *show* em março de 2014, mais um sonho meu se tornou realidade: conheci Roberto Carlos! Aquele menino magrinho lá de Uruçuca, que cantava na porta de casa ao luar enquanto o pai comia melancia, soltou a voz, sem acreditar, diante de seu ídolo.

Roberto disse que eu sabia mesmo a letra de suas músicas e deu risada.

INFORMAÇÕES SOBRE A
Geração Editorial

Para saber mais sobre os títulos e autores
da **Geração Editorial**,
visite o site www.geracaoeditorial.com.br
e curta as nossas redes sociais.

Além de informações sobre os próximos lançamentos,
você terá acesso a conteúdos exclusivos
e poderá participar de promoções e sorteios.

🏠 geracaoeditorial.com.br

f /geracaoeditorial

🐦 @geracaobooks

📷 @geracaoeditorial

Se quiser receber informações por e-mail,
basta se cadastrar diretamente no nosso site
ou enviar uma mensagem para
midias@geracaoeditorial.com.br

Geração Editorial
Rua Gomes Freire, 225 – Lapa
CEP: 05075-010 – São Paulo – SP
Telefax: (+ 55 11) 3256-4444
E-mail: geracaoeditorial@geracaoeditorial.com.br